FINANÇAS DO LAR

Um guia de
sobrevivência e
prosperidade
para famílias

MARCELO GUTERMAN

FINANÇAS DO LAR

Um guia de sobrevivência e prosperidade para famílias

Editora Labrador

Copyright © 2021 de Marcelo Guterman
Todos os direitos desta edição reservados à Editora Labrador.

Coordenação editorial
Pamela Oliveira

Preparação de texto
Laura Folgueira

Projeto gráfico, diagramação e capa
Amanda Chagas

Revisão
Laila Guilherme

Assistência editorial
Larissa Robbi Ribeiro

Imagens de capa
rawpixel.com

Dados Internacionais de Catalogação na Publicação (CIP)
Jéssica de Oliveira Molinari - CRB-8/9852

Guterman, Marcelo
   Finanças do lar : um guia de sobrevivência e prosperidade para famílias / Marcelo Guterman. – São Paulo : Labrador, 2021.
   176 p.

ISBN 978-65-5625-167-7

1. Finanças pessoais 2. Orçamento familiar - Administração 3. Economia doméstica I. Título

21-3172   CDD 332.024

Índice para catálogo sistemático:
1. Finanças pessoais

1ª reimpressão - 2021

EDITORA Labrador

Editora Labrador
Diretor editorial: Daniel Pinsky
Rua Dr. José Elias, 520 – Alto da Lapa
05083-030 – São Paulo – SP
+55 (11) 3641-7446
contato@editoralabrador.com.br
www.editoralabrador.com.br
facebook.com/editoralabrador
instagram.com/editoralabrador

A reprodução de qualquer parte desta obra é ilegal e configura uma apropriação indevida dos direitos intelectuais e patrimoniais do autor.
A editora não é responsável pelo conteúdo deste livro. O autor conhece os fatos narrados, pelos quais é responsável, assim como se responsabiliza pelos juízos emitidos.

Dedico este livro, obviamente, à minha esposa, Conceição, e aos meus filhos, Mariana, Ivo, Álvaro, Maria Isabel, João Paulo, Maria Ester e Carlos, que sempre tiveram a imensa paciência de servir de laboratório para as minhas teorias de controle de orçamento doméstico. Só com muito amor mesmo.

E também ao meu irmão Marcos, o escritor da família, que me incentivou a escrever. Sem ele, este livro não existiria.

Sumário

Prefácio 9

Prólogo 11

CAPÍTULO 1
Orçamento é tudo 13

Orçamento lembra contabilidade, um tema árido para a maioria dos mortais. Aqui, vamos abordar o assunto de maneira mais acessível, desenvolvendo os conceitos básicos do planejamento financeiro familiar, tendo o orçamento como instrumento básico.

CAPÍTULO 2
A Teoria do Gás 35

As pessoas se acostumam com determinado padrão de vida e não conseguem imaginar suas vidas de maneira diferente. A Teoria do Gás vai nos ajudar a explicar como as famílias podem ter mais com menos.

CAPÍTULO 3
Dívidas: não ter não é uma opção 59

Aqui, vamos falar do endividamento em geral, de como ele pode ser útil ou um desastre na vida das famílias, além das características dos principais instrumentos de dívida.

CAPÍTULO 4
Como investir 93

Neste capítulo, vamos descrever uma metodologia para investir bem, além de abordar as características das principais alternativas de investimento.

CAPÍTULO 5
Independência financeira 129

Vivemos em uma "corrida de ratos", procurando, a vida inteira, elevar o nosso padrão de vida, e só vamos descobrir a necessidade da independência financeira muito tarde, quando fica muito mais difícil construí-la. Mas o que é independência financeira? Como alcançá-la? O objetivo deste capítulo é justamente levantar essas questões, sobretudo para os mais jovens.

CAPÍTULO 6
Pequenas decisões, grandes dilemas 147

Comprar ou alugar? Dois carros, um carro, zero carro? Comprar à vista ou a prazo? A nossa vida está cheia dessas pequenas decisões financeiras, e muitas vezes não sabemos nem por onde começar. Comece lendo este capítulo.

CAPÍTULO 7
A educação financeira dos filhos 161

Todos gostaríamos que nossos filhos tivessem hábitos financeiros saudáveis, mas muitas vezes não sabemos como atingir esse objetivo. Discutiremos o papel da mesada, assim como outros truques que podem ajudar nessa tarefa.

Prefácio

> Conheço bastante gente muito inteligente, mas Marcelo Guterman subiria no pódio desse seleto grupo, pois ele é "Top 3". Ele é inteligente porque gosta de aprender, aprende rápido, aplica o que aprendeu e sabe fazer com que outros aprendam com ele, tudo isso com excelência e alta qualidade.

Eu o conheci em 2003, quando foi meu professor no MBA de Finanças. Dentre os doze professores do programa, novamente ele foi "Top 3". Mesmo "novinho" e sem experiência didática, destacou-se por seu conhecimento, sua motivação em ensinar e sua humildade.

Em 2007, viramos colegas de mestrado no Insper. Quando um colega de turma chega usando uma camiseta amarela com pequenos caracteres formando um grande rosto do cientista Albert Einstein, você definitivamente quer essa pessoa no seu grupo de trabalho! Não à toa, Marcelo foi "Top 3" da turma e sua dissertação de mestrado ganhou o Prêmio ANBIMA de Mercado de Capitais.

Hoje, ambos somos professores, profissionais do mercado financeiro e modestos influenciadores digitais. O Marcelo *influencer* está no meu "Top 3", pois eu consumo tudo (isso mesmo, tudo!) o que ele posta nas redes sociais. Ele é um dos meus três amigos marcados como "favoritos" para eu não perder nenhuma análise financeira, econômica, política ou social, além das suas sacadas inteligentes.

Quando uma pessoa tão "Top 3" escreve um livro, a leitura é interessante. Quando o livro é sobre finanças do lar, baseado em uma casa com nove pessoas (marido, esposa e sete filhos do mesmo casamento), torna-se recomendada. Quando você descobre que todo o dinheiro é fruto do trabalho do próprio autor, sem herança, sem Mega-Sena, e que dez por cento são doados para caridade todos os meses, a leitura passa a ser obrigatória.

A leitura é fácil, mas não podemos chamá-la de básica. Cada capítulo traz, de forma leve, um tópico importante de educação financeira, desde o processo de orçamentação, consumo, crédito e investimento, até discussões sobre padrão de vida, tomada de decisões e educação financeira infantil. Por tudo isso, eu classifico o livro como essencial.

Essencial porque é fundamental para adultos brasileiros, independentemente se têm cônjuge ou filhos; porque mostra que é possível se organizar para ter qualidade de vida hoje e para sempre; porque ensina fundamentos de educação financeira aplicados no dia a dia de uma grande família brasileira (grande em todos os sentidos!).

Segundo o Banco Central, educação financeira "é o processo mediante o qual consumidores e investidores financeiros melhoram a sua compreensão sobre produtos, conceitos e riscos financeiros e, por meio de informação, instrução ou aconselhamento objetivo, desenvolvem as habilidades e a confiança necessárias para se tornarem mais cientes dos riscos e oportunidades financeiras, para fazer escolhas baseadas em informação, saber onde procurar ajuda e realizar outras ações efetivas que melhorem o seu bem-estar financeiro".

Finanças do lar informa sobre produtos, conceitos e riscos financeiros. O livro instrui o leitor a tomar melhores decisões financeiras, visando ao seu bem-estar econômico permanente. E o lar de Marcelo Guterman ensina que, com disciplina e determinação, todos podem ser felizes.

Sem dúvida, este livro virou "Top 3" na minha biblioteca de educação financeira.

Liao Yu Chieh
Professor, educador financeiro e sócio do C6 Bank

Prólogo

Uma família é uma empresa. Quer dizer, uma família é muitas coisas, entre elas uma empresa.

Este livro nasceu da minha vontade de colocar no papel a nossa experiência em tocar para a frente uma família com sete filhos.

Não, não se trata de dar receitas de como educar os filhos. Quem somos nós, afinal? Cada pai e cada mãe tem a sua fórmula e as suas crenças. Educação é algo muito pessoal, então não damos pitaco. O que funcionou para nós pode não funcionar para você, e vice-versa. Aliás, a própria definição do que seja "funcionar" é muito, digamos, fluida. O que é uma pessoa bem-educada, afinal? Por isso, vamos deixar essa questão de lado.

Minha ambição é muito mais modesta. Escrevi este livro para passar nossa experiência na administração financeira de um lar com sete filhos. Sim, sete filhos de um mesmo casal. Isso já nos dá alguma vantagem inicial, dado que não precisamos gastar dinheiro com pensão. E, acredite, manter uma casa com sete filhos é bem mais barato do que manter sete casas com um filho cada.

Como eu estava dizendo, uma família é também uma empresa. Precisa ser administrada racionalmente, usando técnicas minimamente objetivas. Às vezes, temos a impressão de que as finanças pessoais e familiares não precisam de conhecimento objetivo. Engano. Podemos melhorar muito a nossa qualidade de vida só de aplicar algumas técnicas. Em outras palavras: com o mesmo dinheiro, é possível ter diferentes qualidades de vida.

Quando digo que tenho sete filhos, a primeira reação das pessoas é perguntar "puxa, como vocês conseguem sustentar todos eles?". Pois é, nem eu sabia como. Comecei, então, a pensar como minha esposa e eu fazemos o que todo mundo diz ser impossível.

Este livro é fruto dessa reflexão. Quero dividir aqui o que "deu certo" para nossa família. E "dar certo" é algo bem objetivo: sustentar uma família "tamanho família" ao longo de 30 anos sem quebrar. Se conseguimos, qualquer um consegue. Claro que ajuda a minha experiência no mercado financeiro, em que trabalho há mais de 30 anos. Algumas partes deste livro são também fruto dessa experiência.

Uma observação importante: nem eu nem minha esposa somos milionários ou herdeiros. Minha esposa largou o emprego depois do nascimento de nossa quarta filha para melhor tocar o nosso projeto de ter uma família grande. E eu sou apenas um gerente médio bem remunerado que nunca ficou desempregado. Estou plenamente consciente de que isso ajuda, mas tenha certeza de que as lições deste livro servirão para quem ganha pouco ou ficou desempregado. Vou mostrar que tanto faz. Mesmo. Tanto é assim que existem pessoas realmente pobres que vivem uma vida financeira equilibrada, assim como muitas pessoas que ganham muito bem, mas vivem no cheque especial. Como isso é possível? Vem comigo!

CAPÍTULO 1
Orçamento é tudo

Tenho certo peso na consciência. Eu pareço ser uma pessoa muito generosa, mas não sou.

Generosidade, para o grande público, é doar tempo ou dinheiro. No meu caso, é dinheiro. Contribuo, religiosamente, com 10% da minha renda todo santo mês. Contribuo com obras de caridade. Contribuo com instituições religiosas. Contribuo com amigos que estejam momentaneamente em maus lençóis. Todos ficam muito contentes e me consideram uma pessoa bastante generosa.

Mas, como disse, tenho certo peso na consciência, porque essas doações não me doem nada. Nadinha. Eu simplesmente não vejo esse dinheiro. Separo, do meu orçamento, 10% do que ganho. E vivo com o restante.

Este é apenas um exemplo do que eu chamo de "orçamento".

Eis outro exemplo de como o orçamento é algo que liberta. Faço provisão para troca periódica do automóvel (sim, precisa de dinheiro para trocar o carro, coisa óbvia normalmente esquecida pela maioria das pessoas). Quando, enfim, chega o grande momento de comprar um carro zerinho, em geral, o dinheiro guardado é mais do que eu necessito, pois sou conservador quando prevejo quanto vou precisar gastar. Aquele dinheiro não gasto aparece como receita extra, algo com que eu não contava. É como encontrar um dinheiro inesperado no bolso do paletó. Nessa hora, sinto-me um pouco mais "rico". E isso tendo gastado um rim na compra do carro novo.

Sim, eu sei que se trata apenas de um exercício mental, esse dinheiro já existia, não fiquei um real sequer mais rico. Mas o que é o dinheiro a não ser uma construção mental que transformamos em coisas que queremos comprar? Enquanto não nos convencermos de que o segredo de uma vida financeira equilibrada está dentro de nossa mente e não fora, continuaremos correndo atrás do próprio rabo.

A palavra "orçamento" invoca coisas muito chatas. Contabilidade, controle, análise de números e mais números. Confesso que gosto disso, mas você não precisa gostar para implementar um orçamento.

Orçamento é separar um dinheiro para determinada finalidade. Isso não exige grandes conhecimentos de contabilidade nem planilha de Excel. As donas de casa de antanho (legal essa palavra, né?) guardavam o seu dinheiro em potes ou envelopes que tinham seus usos predeterminados: feira, contas, reserva de emergência. Isso é orçamento.

Fazer um orçamento é um exercício de prioridades. Quando disse, no início, que faço doação de 10% de meus ganhos antes de qualquer outro gasto, isso significa que, para mim, isso é uma prioridade. Não fico imaginando que outros usos esse dinheiro teria. Por isso afirmei que doações não me doem nada: esse dinheiro não assumiu a forma, na minha mente, de outros bens que eu gostaria de ter. É só dinheiro, não significa nada. Ou melhor: significa a obrigação moral de doar uma parte da minha renda para fins nobres.

O orçamento faz essa mágica mental: transforma dinheiro, algo sem sentido, em algo com sentido. E esse sentido está em nossa mente, não fora dela. Por isso, fazer o orçamento é também um exercício de disciplina mental.

Todo esse papo pode passar a impressão de que, para fazer um orçamento, não é preciso ser um *number freak*, mas um monge tibetano com absoluto controle sobre a própria mente. Não, nada disso também. Quando reforço o conceito da separação do dinheiro para os seus usos, estou simplesmente tentando racionalizar algo que já fazemos naturalmente, pelo menos com aquelas despesas que avaliamos ser imprescindíveis.

Isso nos leva a um conceito importantíssimo quando pensamos em orçamento: as despesas "automáticas", aquelas que encontraram seu lugar no nosso orçamento e nem notamos mais que estão lá, ocupando espaço. Assumimos como um fato da realidade que elas existem, como o ar que respiramos. E isso não precisa ser assim, de maneira nenhuma.

Não existe, repito, não existe nenhum item do nosso orçamento que seja obrigatório. Nenhum. Mas nem comida, roupa, abrigo? Não, nem esses. E por que digo isso? Porque, normalmente, esses itens também embutem escolhas. É óbvio que uma pessoa não pode viver sem comer, se vestir, se abrigar. Mas existem muitos níveis em que essas coisas se dão. O problema não é deixar de comer, de se vestir ou de se abrigar. O problema é o que isso significa para os diferentes indivíduos e famílias.

Criamos muitas necessidades em torno de itens do nosso orçamento que são, de fato, obrigatórios. Essas necessidades estão, mais uma vez, aninhadas em nossa mente de tal modo que não conseguimos imaginar nossa vida sem elas. Ocorre que o orçamento é finito, mas às vezes vivemos como se não fosse. É o que eu chamo de "síndrome de Krasnoyarsk".

A síndrome de Krasnoyarsk

Poucos sabem, mas foi na cidade russa de Krasnoyarsk que o recorde mundial de número de pessoas em um carro foi batido em 2015.[1] Quarenta e uma pessoas se espremeram em um veículo Rav4 da Toyota. Não deve ter sido uma sensação muito agradável.

Isso acontece com o orçamento de muitos. Os gastos vão entrando lá, tomando o seu lugar, se acomodando. E outros vão entrando em

---

[1] "MOST People Crammed in a Large Car". *Guinness World Records*. Disponível em: https://www.guinnessworldrecords.com.br/world-records/378468-most-people-crammed-in-a-large-car. Acesso em: 5 mai. 2021.

seguida, apertando os que já existem. Mas, ao contrário de um carro, o orçamento é expansível através do uso de crédito, o que veremos mais à frente neste livro. Se tratássemos o nosso orçamento como um carro, que tem espaço limitado para acomodar pessoas, a chegada de novas despesas causaria o incômodo que a foto sugere.

Mas o orçamento não é um carro, no sentido de que não há realmente uma limitação física à chegada de novas despesas. Como grande parte das pessoas não controla o seu orçamento, não sente o aperto até que descobre, horrorizada, que tem 35 cartões de crédito vencidos e cheque especial em cinco bancos diferentes.

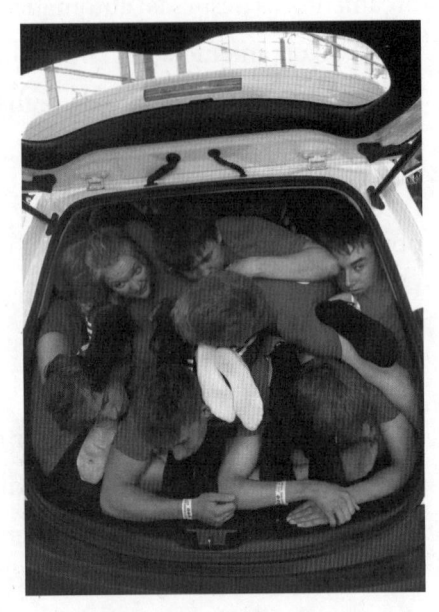

Crédito: REUTERS/Ilya Naymushin/Alamy.

Como fazer um orçamento

Se alguém me pedisse para desenhar o retrato de uma pessoa, provavelmente sairia algo como o desenho abaixo:

Alguém com mais habilidade poderia desenhar algo um pouco melhor:

| Crédito: Captainvector/123RF.

E alguém com ainda mais habilidade para a coisa poderia se sair com isto aqui:

| Crédito: Tsuneo/123RF.

Note que os três desenhos, apesar de serem obviamente diferentes entre si, representam a mesma realidade: uma pessoa. Assim funciona o orçamento doméstico: você não precisa ser o Leonardo da Vinci das finanças para fazer um orçamento útil. Alguns rabiscos já dão uma ideia do que se quis desenhar.

A ideia do orçamento, como espero já ter deixado claro, é separar o dinheiro em compartimentos diferentes. Você pode fazer isso em uma folha de papel, usando um app no seu celular ou em uma planilha, dependendo da sua habilidade. Na verdade, o mais importante não é fazer o orçamento, mas acompanhá-lo. Não serve de nada gastar dias e dias desenhando a Mona Lisa se o destino do quadro for o porão da casa. Então, mais útil é um orçamento simples, que permita o seu acompanhamento periódico, do que algo complicado que será abandonado.

Dimensionando suas receitas

O primeiro item do seu orçamento são os seus ganhos. Podemos ter basicamente dois tipos de ganho:

1) ganhos fixos;
2) ganhos intermitentes.

Os ganhos fixos são aqueles que caem na sua conta mensalmente, faça chuva ou faça sol. Se você é empregado de uma empresa, ou um funcionário público, ou aposentado, seus proventos estarão na sua conta em determinado dia do mês.

Os ganhos intermitentes, por outro lado, são os ganhos não fixos (isso é óbvio). Aqui há uma grande variedade de situações:

1) profissionais liberais, que ganham somente quando prestam serviço;
2) pequenos empresários, que conseguem ganhar somente quando vendem o seu produto e pagam todas as despesas da empresa;
3) corretores de imóveis e outros vendedores, que ganham somente quando vendem o seu produto.

Obviamente é muito mais fácil, do ponto de vista do orçamento doméstico, lidar com ganhos fixos. Assim, um modo de tratar os ganhos intermitentes é procurar transformá-los em ganhos fixos. Para isso, é necessário prever, de alguma maneira, qual a periodicidade do ganho e distribuí-lo durante esse período.

Vamos ver um exemplo extremo, o de um corretor de imóveis que vive exclusivamente de comissões. Digamos que suas comissões tenham sido as seguintes nos últimos 12 meses:

Janeiro:	0	Julho:	R$ 25.000
Fevereiro:	R$ 7.500	Agosto:	R$ 10.000
Março:	R$ 15.000	Setembro:	R$ 4.000
Abril:	0	Outubro:	0
Maio:	0	Novembro:	R$ 7.500
Junho:	R$ 5.000	Dezembro:	R$ 10.000

O total ganho no ano foi R$ 84.000, ou R$ 7.000 por mês. Ao elaborar o orçamento para este ano, ele deve avaliar se os ganhos serão maiores, menores ou iguais aos do ano anterior. Digamos que, em uma primeira avaliação, ele considere que vai ganhar o mesmo que ganhou no ano passado. Então, o orçamento do nosso amigo corretor deverá considerar R$ 7.000 como sua base de planejamento. Mesmo que tenha um saldo inicial maior em sua conta-corrente, ele deve resistir à tentação de achar que está rico. Essa é a grande armadilha de quem tem ganhos intermitentes, dando origem à síndrome do "estou rico, estou pobre".

Por que a síndrome do "estou rico, estou pobre" é um perigo? Porque as despesas contratadas no período "estou rico" não desaparecem como que por mágica no período "estou pobre". Isso nos leva a um princípio importantíssimo, que é óbvio para quem tem ganhos intermitentes, mas é útil também para quem tem ganhos fixos. Trata-se do princípio do Faça o Que Está ao Seu Alcance. Esse princípio pode ser enunciado do seguinte modo:

> **A única coisa que está ao seu alcance é o controle de suas despesas, pois as suas receitas dependem dos outros.**

O princípio do Faça o Que Está ao Seu Alcance é válido, como eu dizia, inclusive para quem está seguro no seu emprego ou é funcionário público. O emprego, que hoje é seguro, amanhã é levado pelo vento da primeira pandemia que aparece. O funcionário público pode enfrentar atraso no seu salário, como temos visto acontecer inúmeras vezes em várias partes do país. Nada é realmente seguro, tudo pode se desmanchar no ar. A única coisa que de fato está sob nosso controle são nossas despesas.

Voltando ao nosso amigo corretor de imóveis: as despesas correntes dele devem respeitar o nível de ganho permanente que ele tem, aquele que, espera-se, prevalecerá no futuro. Além disso, e isso é igualmente importante, qualquer um deveria gastar apenas o dinheiro que tem, não contando com receitas futuras, ainda mais se forem incertas.

Estas duas coisas parecem contraditórias: como considerar as receitas futuras para dimensionar as despesas e, ao mesmo tempo, gastar apenas o dinheiro que se tem no momento?

A contradição é apenas aparente. Na verdade, é impossível gastar um dinheiro que não se tem, a não ser que se tome emprestado de alguém. Isso é óbvio, mas é uma realidade que muitos esquecem. Portanto, para gastar mais do que se tem hoje, é necessário tomar algum tipo de crédito. Isso não é necessariamente ruim, e veremos como fazê-lo de modo saudável no Capítulo 3 sobre dívidas. Mas gastar apenas o que se tem não significa que não se possa planejar o futuro. E, para planejar o futuro, é necessário tomar algum risco calculado. Ou seja, considerar as receitas futuras para dimensionar os gastos presentes.

Isso fica claro quando assumimos um compromisso de gastos no futuro sem ter todo o dinheiro hoje. Por exemplo, quando assinamos algum serviço com pagamento mensal, como a TV por assinatura. Trata-se de um compromisso periódico, em que o dinheiro que vai ser usado no futuro ainda não existe. Esse compromisso ocupa um lugar no nosso orçamento mesmo antes de sabermos, com certeza, se teremos a receita para pagá-lo no futuro. Note que não estamos falando de crédito, pois não se tem o compromisso de continuar assinando o serviço no futuro, já que podemos descontinuá-lo a qualquer momento. Mas sabemos que isso não é assim tão fácil. Uma vez que nos acostumamos com o serviço, não é fácil abrir mão. Mas nem por isso vamos deixar de assumir esse compromisso. Trata-se de um risco calculado.

Outro ponto importante no dimensionamento correto das receitas é considerar quanto efetivamente se ganha, e não o ganho bruto. Este é um erro comum principalmente entre os assalariados, que confundem o que vai registrado no holerite com o que efetivamente entra em sua conta bancária, já líquido dos impostos. Pode parecer bobagem, mas é preciso tomar cuidado para não cometer esse erro primário.

Dimensionando suas despesas

Agora que você sabe mais ou menos qual o tamanho da sua receita, vamos ao principal ponto na elaboração de um orçamento: a classificação de suas despesas. Podemos dividir as despesas em cinco diferentes tipos:

1) **Despesas mensais fixas**: estas são as mais fáceis de planejar. Aqui, incluímos mensalidades escolares, taxa de condomínio, IPTU (quando pago mensalmente) e outras despesas fixas.
2) **Despesas mensais variáveis**: estas despesas variam de mês para mês. Exemplos são os gastos em supermercado, eletricidade, gás, combustível e outras que, apesar de serem variáveis, podemos estimar, com certo grau de precisão, quanto gastaremos em cada mês.
3) **Despesas periódicas**: estas são despesas que não são mensais, mas ainda assim são periódicas e previsíveis. Matrícula e material escolar,

seguro do carro e IPVA são exemplos de despesas que aparecem todo santo ano, mas mesmo assim pegam muita gente "de surpresa".

4) **Despesas irregulares**: esta classe de despesa é a mais perigosa, pois, além de aparecer do dia para a noite, o seu montante é normalmente imprevisível. Nesta categoria classificamos as despesas com acidentes e outros imprevistos, como multas de trânsito e gastos médicos.

5) **Despesas de longo prazo**: estas são as mais negligenciadas. Elas se referem a projetos de longo prazo, como aposentadoria ou a aquisição de bens de maior valor, e só existem se quisermos. Quer dizer, na verdade, no caso da aposentadoria, elas existem independentemente do nosso querer. A diferença para as despesas correntes atuais é que as despesas na aposentadoria ocorrerão somente no futuro. Mas ocorrerão de qualquer forma.

Temos uma estratégia diferente para dimensionar cada um desses tipos de despesa. Vejamos.

Despesas mensais fixas: estas são as mais fáceis de dimensionar. O valor é fixo e mensal, então está dado quanto vai ser o gasto.

Despesas mensais variáveis: apesar de não serem fixas, também são relativamente fáceis de dimensionar. Todo mundo sabe (ou deveria saber), por exemplo, qual o seu gasto de eletricidade mensal. Apesar de serem valores diferentes a cada mês, é possível fazer uma média aproximada. O que eu faço normalmente é calcular uma média dos últimos 12 meses e colocar 10% em cima como margem de segurança.

Despesas periódicas: como não estão em nosso campo de visão, estas despesas são geralmente "esquecidas" e aparecem "de repente", pegando muita gente desprevenida. A maneira de tratá-las é fazer uma provisão mensal para o gasto anual. Se sabemos, por exemplo, que o IPVA será de R$ 2.400 em janeiro, separamos R$ 200 por mês para o pagamento. Este é o desafio: guardar o dinheiro, não tocar nele, pois sabemos que teremos esse gasto no futuro.

Despesas irregulares: se não é fácil guardar dinheiro para despesas que sabemos que vão ocorrer com certeza, imagine para aquelas que não temos certeza de que vão ocorrer. É o caso das despesas irregulares. O único jeito de se proteger é fazendo uma **reserva de emergência**. Como dimensionar esta reserva?

Depende da natureza da despesa. Por exemplo, no caso de gastos com manutenção do automóvel, sabemos que automóveis mais novos dão menos despesa do que os mais antigos. Aqui, adoto a mesma tática usada para as despesas mensais variáveis: verifico quanto gastei nos últimos 12 meses e coloco uma margem de segurança. Esta margem, no entanto, não será fixa, mas será tanto maior quanto mais velho for o automóvel, pois sabemos que essas despesas crescem desproporcionalmente com a idade do carro.

As outras despesas irregulares seguem mais ou menos a mesma lógica, ou seja, podemos mais ou menos estimá-las observando o que aconteceu no passado recente. Obviamente isso não é garantia de nada, pois os gastos podem ser muito mais altos ou muito mais baixos do que foram no passado (afinal, não é à toa que recebem o nome de "despesas irregulares"). Mas isso não deve servir de desculpa para não ter nenhuma reserva de emergência, certo?

A próxima questão que se coloca quando vamos dimensionar a reserva de emergência é em quanto tempo podemos ou queremos formá-la. Por exemplo, sabemos que gastamos R$ 5.000 com a manutenção do automóvel nos últimos 12 meses e queremos fazer uma reserva de R$ 6.000 para o próximo ano. Mas em quanto tempo queremos fazer essa reserva? Se for em 12 meses, serão R$ 500/mês. Mas, como se trata de despesas irregulares, pode ser que tenhamos um grande gasto já no mês que vem. Por isso, a reserva de emergência deveria ser constituída o mais rápido possível. Um grande gasto sem uma reserva de emergência certamente nos fará entrar na necessidade de pedir crédito, o que acrescerá juros à despesa propriamente dita. Além disso, na medida em que gastamos a reserva de emergência, devemos nos preocupar em recompô-la o mais rapidamente possível. Sim, eu sei que é chato ficar separando dinheiro dessa maneira, mas é o único modo que conheço de evitar despesas ainda maiores no futuro.

Despesas de longo prazo: o dimensionamento das despesas de longo prazo dependerá do montante que queremos poupar. Isso fica mais fácil de fazer quando se trata de um bem definido, por exemplo, a troca do carro. Neste caso, precisamos determinar quando desejamos fazer a troca, além do valor aproximado de que precisaremos para isso. Suponhamos que eu queira trocar o carro daqui a 4 anos e estimo que vou precisar de R$ 40.000, preciso economizar R$ 10.000 por ano, ou R$ 833 por mês. Este valor precisa ser colocado no orçamento. Pode-se até separar esse montante em um investimento separado, para ficar bem claro para que serve.

Se é relativamente fácil para um bem definido, a poupança para a aposentadoria, pelo contrário, é de difícil mensuração. Muito difícil. Isso acontece porque estão envolvidas variáveis complicadas de estimar (para não dizer impossíveis), como com que idade vamos morrer e qual será a taxa de juros em um futuro muito, muito distante. E isso em um país chamado Brasil, onde até o passado é incerto. É possível fazer certas simulações, mas fiar-se nelas talvez não seja muito recomendável. O que eu faço? Separo 12% da minha renda para a minha aposentadoria. Por que 12%? Porque este é o montante para o qual há benefício fiscal para a poupança de longo prazo no Brasil. Não vou entrar no mérito agora, pois explicarei melhor sobre aposentadoria no Capítulo 5, mas a ideia é poupar alguma coisa todo mês com essa finalidade. O resultado será função de muitas variáveis, como falamos, mas é melhor ter alguma coisa do que não ter nada, a não ser que você queira ficar 100% dependente da aposentadoria oficial ou da caridade alheia. Trata-se de uma escolha.

Para dar uma cara mais prática para a coisa toda, vamos desenvolver um exemplo genérico de confecção de orçamento. Trata-se de um exemplo muito simples, que pode ser feito em uma folha de papel e servirá para aplicar todos os conceitos vistos até o momento. Veja na página 26 o formulário que usaremos como exemplo.

No formulário de exemplo, colocamos algumas despesas comuns aos lares de muitos brasileiros de classe média. A renda disponível para gasto no mês é de R$ 12.000. Lembremos que esta já é a renda líquida de todos os impostos. O formulário tem quatro colunas:

1) **Saldo do mês anterior**: é o resultado da última coluna do formulário do mês anterior.
2) **Orçamento do mês**: é o montante a ser gasto no mês em cada categoria de despesa. Note que a soma de todos os gastos deve ser igual à renda disponível no mês, no caso, R$ 12.000.
3) **Gasto efetivo do mês**: é o montante que foi efetivamente gasto naquele mês.
4) **Saldo do mês**: é o que sobrou naquela categoria de despesa. É o resultado do saldo do mês anterior, mais o que foi orçado no mês e menos o que foi gasto efetivamente no mês.

Note que há despesas que pertencem a todos os quatro tipos que vimos acima:

Despesas mensais fixas: escolas, plano de saúde e condomínio. Observe que, neste caso, o saldo do mês anterior é igual a zero, assim como o saldo final do mês. Por quê? Porque, como sabemos exatamente quanto vamos gastar no mês, orçamos exatamente o valor desse gasto. Não sobra nada para o mês seguinte.

Despesas mensais variáveis: combustível, eletricidade, supermercado, cabeleireiro, restaurantes. Neste caso, para cada um desses gastos há um saldo anterior não usado nos meses anteriores. Este saldo é fruto de uma previsão de gastos que não se confirmou no passado. Portanto, sobrou dinheiro naquela categoria de despesa. A ele, soma-se o orçamento do mês, fazendo o saldo disponível para gastar naquele mês.

Formulário de orçamento mensal

Mês: **Agosto**
Receita prevista no mês: **12.000**

Categoria de despesa	Saldo do mês anterior	Orçamento do mês	Gasto efetivo do mês	Saldo do mês
Educação				
Escola 1	0	1.500	1.500	0
Escola 2	0	1.200	1.200	0
Material escolar	800	100	0	900
Saúde				
Plano de saúde	0	1.000	1.000	0
Médicos/dentistas	500	100	200	400
Transporte				
Combustível	150	900	800	250
IPVA	1.400	200	0	1.600
Aquisição	13.000	500	0	13.500
Casa				
Eletricidade	50	250	220	80
Manutenção	200	100	500	-200
Condomínio	0	900	900	0

		Consumo		
Supermercado	450	2.500	2.600	350
Eletrodomésticos	900	250	500	650
Cabeleireiro	50	300	250	100
		Lazer		
Restaurantes	100	500	600	0
Viagem de férias	4.000	500	2.500	2.000
		Aposentadoria		
	90.000	1.200	0	91.200
		Total		
	111.600	12.000	12.770	110.830

Despesas periódicas: material escolar, IPVA. Estas despesas vão ocorrer no começo do ano seguinte. Portanto, estamos fazendo uma poupança para aquele gasto. O valor na coluna "Saldo do mês anterior" é o quanto poupamos até o mês anterior. Na coluna "Orçamento do mês", temos o quanto vamos poupar no mês corrente. A coluna "Gasto efetivo do mês" vai mostrar zero, porque estes gastos se darão apenas no futuro. E, por fim, a coluna "Saldo do mês" mostra qual a nova poupança. Veja, por exemplo, o item IPVA. A previsão é de que o imposto será de R$ 2.400. Então poupamos R$ 200 por mês, perfazendo R$ 1.400 até o mês de julho (saldo do mês anterior) e R$ 1.600 até o mês de agosto (saldo do mês).

Despesas irregulares: médicos/dentistas, manutenção da casa, eletrodomésticos. Neste caso, estamos fazendo reserva de emergência para tais gastos. O tamanho dessa reserva é dado pela coluna "Saldo do mês". Observe que, no caso da "Manutenção da casa", este saldo ficou negativo.

Ou seja, gastamos mais neste item do que havíamos previsto. O que fazer? Desesperar? Jamais! Observe que temos saldo positivo em todos os outros itens. O que precisa ser feito é remanejar o saldo de algum outro item com gordura para zerar este ou até refazer uma parte da reserva de emergência referente a este item. É preciso ter em mente, no entanto, que o saldo final total (última linha) não pode ser modificado de modo algum. Nós vamos apenas remanejar despesas, não criar dinheiro do nada.

Despesas de longo prazo: aquisição de automóvel, viagem de férias, aposentadoria. Estes são projetos grandes, como o próprio nome diz, de longo prazo. Na prática, funcionam como as despesas periódicas vistas acima, mas com um prazo muito maior. Então, a poupança mensal (coluna "Orçamento do mês") é fruto do cálculo de quanto será necessário para comprar o bem almejado (no caso, o automóvel ou as férias) ou simplesmente um percentual da renda (no caso da aposentadoria, fazemos a poupança de 10% da renda). No caso das férias, houve um gasto no mês, provavelmente porque já se comprou um pacote. Então, parte daquela poupança já foi gasta.

Uma observação final: a linha "Total" deve coincidir com o total de todos os saldos em conta-corrente e em investimentos. Assim, no exemplo concreto, o saldo final de julho (mês anterior) deveria ser de R$ 111.600 e o de agosto, de R$ 110.830.

Este exercício simples foi feito para mostrar que é possível acompanhar um orçamento com uma tabela em um pedaço de papel. É claro que se você usar uma planilha Excel ou, melhor ainda, um aplicativo dedicado, a coisa fica mais fácil e eficiente. Comecei controlando meu orçamento em papel, migrei para uma planilha e hoje uso um aplicativo chamado You Need a Budget (YNAB). Qualquer que seja o meio adotado, o importante é seguir a metodologia "despesa orçada, despesa realizada, saldo". E a soma dos saldos deve coincidir com o dinheiro que você tem no banco.

O nível de detalhamento ideal

Voltemos aos três desenhos do início deste capítulo.

Fonte: 1. Autor; 2. Captainvector/123RF; 3. Tsuneo/123RF.

Os três tentam expressar a mesma realidade (uma pessoa). Mas obviamente são muito diferentes entre si, na medida em que mostram maior ou menor detalhamento dessa realidade. Qual o nível de detalhamento ideal?

Não há uma resposta única. Existe um *trade-off* entre trabalho e utilidade. Quanto maior a utilidade que se queira, maior o trabalho envolvido, e vice-versa. E, quanto menor o trabalho, maior a chance de que não se desista de fazer o acompanhamento. Então, cada um deverá encontrar o ponto ótimo de confecção e acompanhamento do seu próprio orçamento. No limite, um orçamento pode ter uma única linha:

Categoria de despesa	Saldo mês anterior	Orçamento do mês	Gasto efetivo do mês	Saldo do mês
Total	111.600	12.000	12.770	110.830

Isso não vai ser muito útil, pois não sabemos onde foram gastos os R$ 12.770 no mês, de modo a verificar se isso está dentro do planejado ou se estamos desviando perigosamente. E, principalmente, com esse nível de falta de detalhe não conseguiremos planejar as despesas futuras. Podemos detalhar um pouco mais, como a seguir:

Categoria de despesa	Saldo do mês anterior	Orçamento do mês	Gasto efetivo do mês	Saldo do mês
Educação	800	2.800	2.700	900
Saúde	500	1.100	1.200	400
Transporte	14.550	1.600	800	15.350
Casa	250	1.250	1.620	-120
Consumo	1.400	3.050	3.350	1.100
Lazer	4.100	1.000	3.100	2.000
Aposentadoria	90.000	1.200	0	91.200
Total	111.600	12.000	12.770	110.830

Já melhorou, mas ainda fica difícil fazer um controle efetivo. Há mistura de tipos de despesas (fixas, variáveis etc.), o que dificulta planejar os gastos. E, como sabemos, o planejamento dos gastos é o objetivo principal de fazer um orçamento. Mas, enfim, é uma alternativa para quem não quer gastar muito tempo com isso.

Outro ponto que pode aborrecer quem não gosta muito de controles é o seu aspecto excessivamente contábil. Precisa bater tudo até o último centavo para dar certo. A boa notícia é que não precisa ser assim. Às vezes, não conseguimos fazer bater. Não tem problema. Basta introduzir uma linha "outros gastos" ou "gastos diversos", em que lançamos as diferenças que não conseguimos encontrar para bater os saldos com o saldo de nossa conta-corrente. Mas não pense que esta seja uma espécie de "licença para gastar". É preciso orçar também esta linha! Ou seja, deve haver um limite para "coisas que não conseguimos explicar". Se esta linha estiver com um valor excessivamente grande, significa que não estamos controlando nada! Ela serve somente para não gastar muito tempo com alguns reais de diferença, não para gastar como se não houvesse amanhã.

E, para aqueles casais que querem manter certa independência de seus gastos pessoais (totalmente legítimo, por sinal), basta criar uma linha "Gastos pessoais de fulano" ou "Gastos pessoais de sicrana". Esta linha também será orçada e servirá como uma espécie de mesada para cada um dos cônjuges. Afinal, não vamos brigar por causa de bobagem, não é mesmo?

Espero que tenha ficado claro como se dá o processo de montagem de um orçamento. Porém, mais importante do que montar o orçamento é acompanhá-lo.

Agora é a sua vez!

Os robôs estão cada vez mais inteligentes, ocupando o lugar dos seres humanos em tarefas repetitivas, que não exigem decisão discricionária. Por "decisão discricionária" entenda-se o poder de decidir o que é certo ou errado fazer em determinada ocasião. Claro que sempre se pode desenhar um conjunto de regras muito sofisticadas, em que o robô parece raciocinar e tomar decisões. Mas essas decisões sempre serão baseadas nesse conjunto de regras preestabelecidas. Nós, seres humanos, trabalhamos, por assim dizer, com outro conjunto de regras. Apesar de sabermos o que é o certo a ser feito, às vezes desobedecemos a regra escrita e fazemos o errado. Quem nunca abandonou um regime alimentar ou um programa de exercícios? Está escrito que o certo é comer coisas saudáveis e fazer exercícios, mas a gula ou a preguiça deixam?

Os robôs, ao contrário dos seres humanos, seguem determinado algoritmo de decisão, faça chuva ou faça sol. Nós, seres humanos, precisamos de uma estratégia para agir como robôs quando isso for bom para nós. A isso chamamos de *hábito*.

O hábito é aquele conjunto de atos que passam abaixo do radar da nossa discricionariedade. Ou seja, são atos suficientemente automáticos para que escapem ilesos (ou quase) da nossa tendência a fazer coisas que sabemos não ser as certas, mas, mesmo assim, fazemos. Ou deixar de fazer as coisas que sabemos ser as certas, mas, mesmo assim, não fazemos.

Controlar as nossas finanças pessoais é dessas coisas, assim como o regime alimentar ou a sessão de ginástica, que deve se transformar em um hábito. Depois que se transforma em hábito, a coisa pode até se tornar prazerosa. Mas, para chegar lá, é necessária uma estratégia que construa o hábito.

No excelente livro *O poder do hábito*, o autor, Charles Duhigg, cita vários estudos científicos que identificam a estrutura dos hábitos. Esta estrutura inclui o que ele chama de "loop do hábito": "deixa – rotina – recompensa". Por "deixa", o autor quer dizer algum fato que dá início à "rotina", que é o hábito propriamente dito. Por fim, este hábito dá origem a uma "recompensa". De algum modo, a "deixa" dispara um processo em nosso cérebro que leva à "recompensa", sendo que o caminho é a "rotina", ou o hábito.

Isso é muito fácil de entender se pensarmos no vício de fumar. Há certos momentos do dia (depois do almoço, por exemplo) em que o fumante sente uma vontade irresistível de fumar. A "deixa" é o fim do almoço, enquanto a "recompensa" é o prazer de fumar acompanhado de um cafezinho. Isso dá origem à "rotina" de fumar.

Voltemos ao nosso esforço por controlar o orçamento.

É preciso pensar em alguma "deixa" que nos leve a iniciar a "rotina" de fazer o controle. No meu caso, foi associar a manhã de sábado, que para mim sempre foi um momento de prazer (o início do fim de semana!), com o "prazer" de ter tudo sob controle. O café da manhã do sábado, portanto, passou a ser a minha "deixa", que dava origem à sensação de prazer de ter tudo sob controle. Faltava, então, somente a "rotina".

Bem, a rotina é a coisa mais simples desse processo. O algoritmo é mais ou menos o seguinte:

1) Reúnem-se os extratos de contas-correntes e cartões de crédito;
2) Reúnem-se os gastos que foram feitos em dinheiro (isso é opcional. Pode-se simplesmente fazer uma categoria de gastos chamada "Gastos em dinheiro", reunindo todas essas despesas. Só não pode se tornar um dos principais itens de despesa, senão perde o sentido);
3) Lançam-se os gastos nas respectivas categorias;
4) Verifica-se se há categorias que estão com saldo negativo e remanejam-se despesas orçadas em outras categorias para cobrir esses saldos.

Claro que existe um trabalho inicial em que se estabelecem as categorias de despesas e seus respectivos orçamentos. Mas este trabalho normalmente é prazeroso, por ser o início do processo. Duro mesmo é manter o controle ao longo do tempo.

Este processo é semanal e leva não mais do que 20 minutos. São 20 minutos que salvam vidas.

Precisa ser semanal? Não, pode ser mensal também. Mas minha experiência me diz que o espaço de uma semana é o ideal. Em um mês, muita coisa acontece, e às vezes fica difícil lembrar-se de todos os detalhes. Além disso, torna-se muito mais trabalhoso. Se semanalmente esse processo leva 20 minutos, mensalmente levará quatro vez mais, ou quase uma hora e meia. É mais difícil roubar uma hora e meia do nosso dia para fazer uma coisa chata. Vá por mim, faça o acompanhamento semanal.

Um truque que ajuda a tornar a rotina mais prazerosa é escolher um aplicativo dedicado ao controle do orçamento com o qual nos identifiquemos. Como já disse, comecei controlando o orçamento da família em uma folha de papel. Dava certo trabalho, como tudo o que é manual. Quando mudei para uma planilha de Excel, que eu mesmo montei, a coisa ficou muito mais fácil e prazerosa. Mas reconheço que nem todos têm essa habilidade. Hoje uso o YNAB, que tem uma apresentação visual muito atraente e uma lógica próxima à descrita. Mas existem muitos outros aplicativos bons e úteis que servem ao objetivo de tornar a rotina de controle do orçamento algo prazeroso.

Ah, mas bateu aquela preguiça, deixei de fazer o acompanhamento por uma semana, duas, três, 1 mês, 3 meses... Não tem problema! Sempre é hora de recomeçar, da mesma maneira que um dia você começou a controlar seu orçamento. Esse tipo de exercício é uma espécie de corrida de São Silvestre, em que você pode parar e recomeçar a correr de onde quiser. A partir daquele momento você está de volta ao jogo, e isso é muito bom! O importante não é chegar em primeiro, mas chegar.

CAPÍTULO 2
A Teoria do Gás

> Jesus Silva da Fonseca era um vendedor de bilhetes de loteria em Macapá. Como vários desses vendedores, ficava perambulando de loja em loja, tentando convencer as pessoas de que aquele era o dia da sorte grande. Era março de 1983, e Jesus não estava com sorte naquele dia: haviam sobrado nove bilhetes no final do expediente, número acima da média. Para não decepcionar o patrão, resolveu ele mesmo comprar três dos bilhetes restantes.

Mal sabia Jesus que, na verdade, aquele era o seu dia de sorte. Um dos bilhetes recebeu o primeiro prêmio da Loteria Federal. Hoje, esse prêmio equivale a R$ 500.000, ou pouco menos de quinhentos salários mínimos. Mas em 1983 o salário mínimo era proporcionalmente bem menor, e Jesus certamente fazia bem menos que um salário mínimo por mês com sua atividade. Portanto, aquele dinheiro equivalia a algo como várias vidas de trabalho do Jesus. Com 46 anos, o vendedor ambulante de bilhetes de loteria estava, da noite para o dia, milionário.

Sem mais restrições orçamentárias, Jesus começou a viver a vida: fretava jatinhos para passear pelo Brasil, organizava festas de arromba regadas a muita bebida cara e mulheres, entre outras extravagâncias que lhe passavam pela cabeça. Resultado: 6 meses depois, o dinheiro acabou, e Jesus teve que retomar o seu antigo trabalho de vendedor de bilhetes de loteria.

Esta história é verdadeira. Como isso pôde acontecer? A *Teoria do Gás* explica.

A formulação da Teoria do Gás é muito simples:

> **As suas despesas sempre ocuparão todo o espaço do seu orçamento, independentemente do seu tamanho.**

Assim como o gás se expande e ocupa todo o espaço de um recipiente, independentemente do seu tamanho, as despesas de um indivíduo ou de uma família se expandem e ocupam todo o espaço do orçamento.

Trata-se de uma lei universal a que todos estamos sujeitos, independentemente do tamanho do orçamento. Obviamente não conseguimos pensar de que modo um bilionário como Bill Gates pode estar sujeito a essa lei. Mas está. Cada dólar de seu imenso patrimônio está comprometido com alguma função. Não somente seu padrão de vida é incomensuravelmente mais alto do que o de simples mortais como parte relevante de sua fortuna está dedicada a obras de filantropia, o que certamente lhe traz satisfação. Se, por algum motivo, ele perdesse uma grande parte de sua fortuna, ficaria insatisfeito como qualquer um de nós, pois estaria perdendo o prazer que lhe dá poder contribuir com causas que acha importantes.

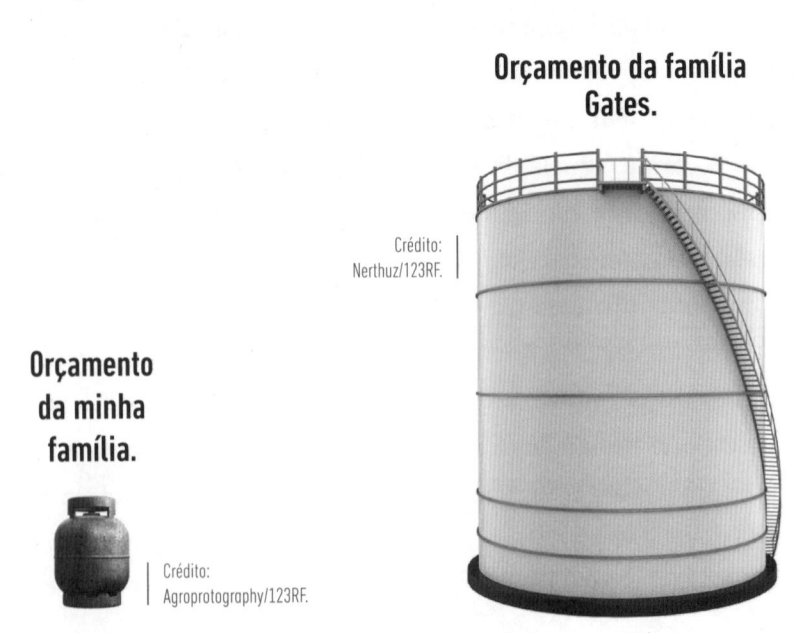

Orçamento da família Gates.

Crédito: Nerthuz/123RF.

Orçamento da minha família.

Crédito: Agroprotography/123RF.

A Teoria do Gás tem como base uma característica da natureza humana, sendo, portanto, universal: a insaciabilidade. Somos insaciáveis, queremos sempre mais do que temos. Assim que conquistamos um objetivo de consumo, já estamos pensando no próximo. É a natureza humana. A Teoria do Gás nada mais faz do que reconhecer o contraste entre esta característica da natureza humana e o fato de que os recursos são (e sempre serão) limitados. Trata-se de um problema sem solução: compatibilizar a ânsia do ser humano pelo infinito com a finitude do mundo.

Os grandes problemas econômicos dos países e do mundo têm sua origem, em última análise, nessa dicotomia explicada pela Teoria do Gás. Os povos estão, o tempo inteiro, lutando para conquistar um quinhão maior da riqueza disponível. E ninguém nunca está satisfeito com o que tem, sempre se quer mais. O mundo hoje é incomensuravelmente mais rico do que era um século atrás. Além disso, o avanço das tecnologias permitiu aumentar o padrão de vida gastando uma menor quantidade de recursos. E, no entanto, as pessoas e os povos continuam insatisfeitos. Nunca estaremos totalmente satisfeitos.

Voltando ao mundo das pessoas e famílias medianas, como a minha e a sua, que não ganharam na loteria nem são bilionárias, ter conhecimento da Teoria do Gás é de grande utilidade. Ela explica por que, para grande parte das famílias, sempre sobra mês no final do salário, independentemente do tamanho do salário. As despesas vão crescendo, se expandindo como um gás, até que começam a pressionar as paredes do nosso orçamento. Mas, ao contrário de um botijão de gás, que explode, no caso do orçamento as paredes são "expansíveis" através do crédito. E é aí que mora o perigo!

Vamos falar de crédito mais para a frente neste livro, mas por ora fica a dica: o seu orçamento tem um tamanho determinado, e a expansão permitida pelo crédito somente colocará uma despesa adicional às muitas já existentes: os juros. E nem por isso você estará satisfeito com o seu "novo recipiente expandido". Trata-se de uma ilusão. A Teoria do Gás afirma que nunca estaremos satisfeitos. Vamos entender por que isso acontece.

O Ciclo ECCCA do Consumo e a Lei da Grama do Vizinho

A Teoria do Gás conta com dois princípios complementares, que ajudam a concretizar a ideia em nosso dia a dia: o *Ciclo ECCCA do Consumo* e a *Lei da Grama do Vizinho*.

O Ciclo ECCCA do Consumo

Créditos: Elaboração do autor com figuras de Warrengoldswain; Vladimirfloyd; Sunabesyou; Piksel; Anatols; 123RF.

O acrônimo ECCCA significa Euforia, Curtição, Costume, Cansaço e Asco. Este é o ciclo de nossa relação com qualquer objeto de consumo. A não ser que estabeleçamos uma relação sentimental com o objeto (como aquela máquina fotográfica que foi nossa companheira em tantas viagens…), o normal é passarmos da Euforia ao Asco com o tempo.

A Euforia ocorre quando finalmente conseguimos comprar o objeto de desejo. É uma fase curta, durante a qual esquecemos o dinheiro que gastamos na compra, e dura até alguns dias após o início do uso do objeto.

A Curtição também é um período relativamente curto, de algumas semanas ou poucos meses, em que ainda não nos acostumamos com o novo objeto. O enlevo toma conta dos nossos sentimentos toda vez que o olhamos ou usamos. É uma fase de paixão.

A fase do Costume começa quando passamos a não notar especialmente o objeto. Usamo-lo como outro qualquer. Não nos causa nenhuma emoção especial, nem de alegria nem de enfado. Pode durar vários meses.

O Cansaço surge quando o objeto começa a dar um defeito ou outro e, no caso de objetos que envolvam tecnologia, quando ocorre o lançamento de outras versões com inovações relevantes.

Por fim, a fase do Asco é o cansaço levado ao extremo, quando não conseguimos mais sequer olhar para o objeto em questão. A única solução é a compra de um novo objeto, a qualquer custo.

A indústria conhece esse ciclo e contribui para que se dê da maneira mais rápida possível. Como? Lançando produtos novos, "melhorados", que fazem com que aquele objeto que foi comprado com tanta euforia comece a parecer "velho" diante das novas versões. Claro que não faria sentido hoje ter uma TV fabricada na década de 1950, há incorporações tecnológicas que são importantes. Mas será mesmo que precisamos trocar uma TV 4K por outra 8K, ainda que a primeira esteja funcionando perfeitamente?

A evolução das TVs: quão atualizada precisa ser a sua?

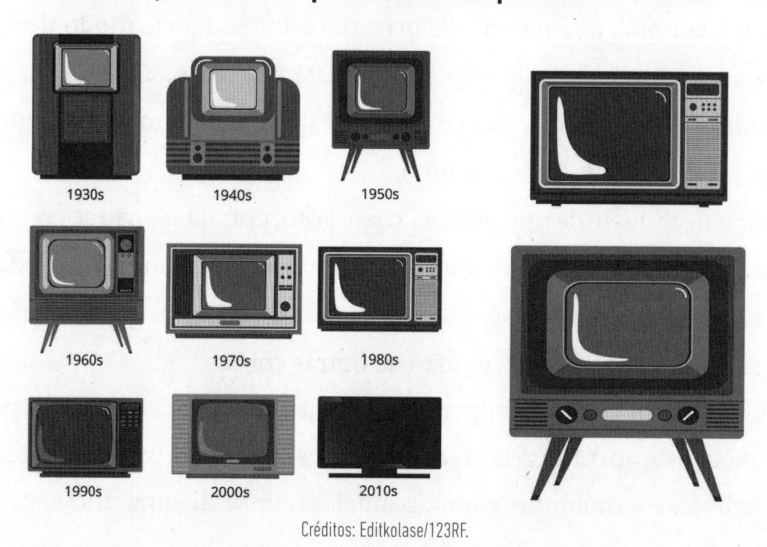

Créditos: Editkolase/123RF.

A indústria de tecnologia levou ao estado da arte o que chamamos de "obsolescência programada". Trata-se da substituição da tecnologia atual por outra mais avançada, criando uma necessidade que nem você mesmo sabia que tinha. E, uma vez que a tecnologia existe, não conseguimos sobreviver muito tempo sem aquilo.

O *Ciclo ECCCA* é bem exemplificado por objetos de tecnologia, mas não se limita a eles. Roupas, viagens, restaurantes, enfim, tudo o que pode ganhar em sofisticação entra no ciclo. Cansamos das roupas que temos, das viagens que fazemos, dos restaurantes que frequentamos, e buscamos coisas novas e, por vezes, mais sofisticadas. E se o orçamento não suporta, ficamos insatisfeitos. É a Teoria do Gás em ação.

O Ciclo ECCCA é reforçado pela *Lei da Grama do Vizinho*.

Como sabemos, a grama do vizinho é sempre mais verde. Esta sensação é muito real e ocorre porque isolamos o objeto de desejo que o vizinho tem de todo o seu contexto: qual o orçamento do vizinho? Do que o vizinho teve que abrir mão para possuir aquele bem? Qual a escala de prioridades do vizinho?

Antes de mais nada, é preciso saber quem é o "vizinho". Não sentimos inveja, por exemplo, de Bill Gates. A realidade de um bilionário é tão distante da nossa que não nos ocorre ambicionar aquele modo de vida. Trata-se de uma galáxia muito, muito distante. Temos inveja, isso sim, do padrão de vida de parentes e amigos, esses que têm mais ou menos o nosso nível de renda e de consumo.

Por isso, trata-se de um fenômeno perigoso, pois quase não se faz notar. Parece que aquela realidade está ao nosso alcance, quando, na verdade, pode não estar. Como disse, não sabemos se o "vizinho" ganha mais que nós, se se endividou, se abriu mão de outras coisas.

A Lei da Grama do Vizinho nos empurra sempre para o próximo patamar de consumo. O insidioso desse processo é que o patamar seguinte normalmente é muito próximo do atual. Trata-se de uma diferença que parece caber no orçamento. É a Teoria do Gás funcionando a todo vapor (sem trocadilhos) mais uma vez.

Ter consciência do Ciclo ECCCA do Consumo e da Lei da Grama do Vizinho nos ajuda a racionalizar nossas escolhas. De maneira alguma é proibido consumir, melhorar o padrão de vida. Cada um sabe o que faz com o seu dinheiro. O importante é entender que o orçamento é um recipiente limitado, e esses fenômenos que tomam conta da nossa mente acabam por forçar os limites do orçamento. Ter consciência disso já ajuda um bocado.

A seguir, vamos descrever algumas técnicas que ajudam a ter um consumo mais consciente e, supõe-se, dentro do orçamento.

A arquitetura da escolha

Washington Dias era um dos milhões de trabalhadores que iam e voltavam do trabalho pegando duas conduções lotadas e levando duas horas nesse percurso. Seu sonho, comum a tantos desses trabalhadores, era ter um automóvel. Era o ano de 2011, e as taxas de juros estavam nos menores níveis da história. Isso permitia financiamentos de mais longo prazo, e a festa do crédito comia solta.

Um Gol 1.0 custava R$ 30.000 na época, e era o sonho de consumo de jovens como Washington. Mas o valor estava muito acima de suas possibilidades. Foi quando ele passou por uma concessionária e viu a oferta: Gol 1.0 em 72 vezes de R$ 660. Com seu salário de R$ 2.000 líquidos, Washington viu ali a oportunidade de se livrar da condução lotada e de ter mais tempo em casa. Com um pouco de aperto, abrindo mão de certos gastos, ele conseguiria pagar o financiamento. Além disso, era certo que nos próximos 6 anos (prazo do financiamento) ele conseguiria aumentar o seu salário, tornando ainda mais fácil pagar a dívida.

Washington fechou o negócio e, poucos dias depois, saiu todo contente da concessionária com o seu carro zero. No entanto, quando achava que seus problemas tinham terminado, logo descobriu que estavam apenas começando.

Para começo de conversa, Washington não havia considerado o IPVA e o seguro do automóvel em sua conta. Apesar de o financiamento não exigir entrada, precisou desembolsar uma quantia inicial que não tinha disponível. Para tanto, pediu emprestado para o seu pai, e acrescentou este "financiamento" ao total que estava devendo.

Depois, percebeu que o combustível lhe custava o mesmo que a mensalidade do financiamento, pois o trajeto que fazia diariamente era muito longo. Isso não estava em seus cálculos.

Poucos meses depois da compra, bateu o carro. Nada sério, mas teve que bancar a franquia do seguro no conserto que fez.

Um carro novo não dá muita manutenção, mas, como Washington rodava 1.500 quilômetros por mês, tinha que levar o carro no mecânico a cada 6 ou 7 meses para revisão e eventual troca de peças. A manutenção logo começou a pesar no orçamento também.

Com esse conjunto de gastos, aqueles R$ 660 por mês logo se transformaram em R$ 1.300, algo que Washington não tinha disponível. Mas ele não desistiu fácil, insistiu por 3 anos, apertando como dava o seu orçamento para manter o seu sonho de consumo. Até que um grande gasto de manutenção inesperado fez com que ele jogasse a toalha. Vendeu o carro com grande dificuldade, pois ainda havia metade do financiamento a vencer, e voltou para o seu ônibus diário. A diferença é que estava com suas finanças exauridas e levaria alguns anos para se recuperar.

O caso de Washington é uma aplicação indireta do que ficou conhecido como a *arquitetura da escolha*.

"Arquitetura da escolha" foi um termo cunhado pelo Nobel de economia Richard Thaler, estudioso do comportamento humano diante de decisões. Em seu livro *Nudge* ("empurrãozinho", em português), Thaler descreve a arquitetura da escolha como um "empurrãozinho" que se dá para que as pessoas tomem decisões melhores para si. Ele dá o exemplo da disposição de alimentos em uma cantina escolar. Um experimento mostrou que os alimentos mais consumidos eram aqueles colocados mais ao alcance das crianças. Então, bastaria colocar os alimentos mais saudáveis nos lugares certos para que as crianças se alimentassem de modo mais saudável. Esta seria uma forma de dar um "empurrãozinho" na escolha livre das crianças, levando-as a selecionar coisas melhores para si mesmas.

Por que o exemplo de Washington é uma espécie de "arquitetura da escolha"? Porque ele se colocou em uma situação em que, a partir de sua primeira decisão, as suas escolhas posteriores já estavam praticamente dadas. Em outras palavras, ele próprio deu um "empurrãozinho" (sem ter consciência disso) para tomar outras decisões de gastos quando tomou a decisão primeira de comprar o carro. Claro que ele poderia ter evitado uma parte dos gastos posteriores, deixando o carro na garagem por mais tempo, por exemplo. Mas que sentido teria comprar o carro para não o usar?

Nossa vida está cheia dessas decisões que levam a outras decisões quase que automaticamente. Um exemplo clássico é a mudança para um "bairro melhor". Não se trata apenas de ter o dinheiro para comprar o apartamento. Em um "bairro melhor", tudo é mais caro: escola, empregada doméstica, padaria, supermercado. A não ser que se continue a consumir todas essas coisas na antiga vizinhança (o que faria a mudança em si perder o seu sentido), haverá um aumento de gastos implícito na mudança, mas que, muitas vezes, não é levado em consideração no momento da decisão de se mudar.

A ida a restaurantes é outro exemplo. Acho graça de amigos que vão a restaurantes caros e reclamam do preço do manobrista. Não compreendem que isso faz parte da escolha que fizeram, não é um ente à parte. Você precisa chegar ao restaurante de alguma maneira, seja com o seu carro, seja em um táxi ou de Uber. Pagar por isso faz parte da escolha do restaurante. E, obviamente, quanto mais caro o restaurante, mais caro será o manobrista.

Aliás, aprendi com o tempo que entrar em um restaurante é uma escolha que leva inexoravelmente a várias outras. Entrar em um restaurante caro esperando "não gastar muito" é quase uma contradição. Com uma família grande, sempre fui muito preocupado em manter esse item de gasto sob controle. Mas houve vezes em que fui "surpreendido" com a conta. Já perdi a calma com isso, mas hoje em dia não mais. A ida a um restaurante deve ser um momento de lazer e relaxamento. Se formos para ficarmos preocupados com o tamanho da conta, o melhor a fazer é não ir. Esta é a decisão-mãe, aquela que vai definir todas as outras. Isso não significa, obviamente, que não se possa usar pequenos truques para reduzir o tamanho da conta. Pular o couvert é um deles, pedir pratos mais baratos é outro, pedir dicas para o garçom de pratos que possam ser divididos com mais facilidade é um terceiro. Enfim, há maneiras de diminuir o prejuízo, mas ele sempre estará lá, pois é a escolha do restaurante que vai definir grande parte do tamanho da conta.

Ter consciência da arquitetura da escolha ajuda muito a evitar situações de que depois nos arrependeremos. Ou, pelo menos, a não se estressar à toa.

A contabilidade mental

Um casal resolveu ir ao teatro. Comprou os ingressos pela internet e imprimiu-os. Quando chegou lá, descobriu que perdeu os ingressos impressos e não havia meio de comprovar que os possuía. A única forma de entrar no teatro foi comprar novos ingressos.

Outro casal foi ao mesmo teatro, mas deixou para comprar os ingressos no local. Chegando lá, o marido descobriu que havia, sem notar, perdido no caminho uma quantia de dinheiro equivalente ao preço dos ingressos. Teve que usar o cartão de crédito para comprar as entradas.

Pense um pouco: quanto custou a entrada no teatro para o primeiro casal? E para o segundo? Se você respondeu que custou o mesmo, pense mais um pouco.

A psicologia do consumo dirá que, para o primeiro casal, o ingresso custou o dobro do preço. Já para o segundo, custou apenas uma vez. Por quê? Ora, o primeiro casal precisou comprar os ingressos duas vezes, enquanto o segundo casal comprou apenas uma vez. Para este casal, o dinheiro perdido não estava associado mentalmente aos ingressos.

Observe que ambos os casais chegaram ao final da noite com menos dinheiro do que tinham no início daquele dia, no mesmo montante. Mas somente o primeiro casal "carimbou" aquele dinheiro como "ingresso para o teatro". O segundo casal carimbou metade do dinheiro como "ingresso para o teatro" e a outra metade como "acidente de percurso". Esse ato de colocar o mesmo dinheiro em caixinhas diferentes chama-se *contabilidade mental*.

A contabilidade mental pode ser muito útil quando temos um objetivo e queremos aumentar a chance de vê-lo cumprido. Iniciei o capítulo anterior com um exemplo de contabilidade mental: as nossas doações são separadas em uma caixinha à parte, que não se confunde com qualquer das outras. Isso não passa de um truque mental para viabilizar um ato meritório em si. Sem isso, as doações poderiam ficar à mercê da disponibilidade de cada momento, o que dificultaria e tornaria muito mais inconstante o ato de doar. O mesmo ocorre com o dinheiro destinado para a aposentadoria ou para um objetivo qualquer de prazo mais longo. Sem separar em uma caixinha à parte, ficaria muito difícil atingir esse objetivo.

Esse é o lado claro da força, quer dizer, da contabilidade mental. O lado escuro é usar esse truque para esconder gastos que, de outro modo, não seriam feitos.

Imagine-se tomando a decisão de comprar um sistema de som para o seu carro no valor de R$ 3.000. Trata-se de um montante alto sob qualquer ponto de vista. Qualquer um com uma renda mediana pensaria várias vezes antes de gastar esse dinheiro em um sistema de som automotivo.

Agora imagine outra situação. Você acaba de comprar um carro no valor de R$ 60.000. Para incrementar a sua nova aquisição, resolve instalar um sistema de som no valor de R$ 3.000. Você pensa: "Para quem está gastando R$ 60.000 o que são R$ 3.000 a mais?". Em vez de o carro novo sair por R$ 60.000, sairá por R$ 63.000, uma diferença mínima, de apenas 5%.

Tanto no primeiro quanto no segundo exemplo, você ficou R$ 3.000 mais pobre. Mas a compra no primeiro caso doeu muito mais no bolso do que no segundo. Ao contabilizar o gasto na "caixinha" do carro, o preço do som quase não fez cócegas, mesmo que, de outra maneira, tivesse pesado muito no orçamento.

Uma situação muito comum, que ilustra como nenhuma outra a contabilidade mental, é a *síndrome do jaquê*. Esta síndrome costuma acometer quem está reformando o imóvel: "Já que estamos mexendo na sala, poderíamos trocar o piso", "Já que estamos mexendo no encanamento do banheiro, poderíamos trocar também os azulejos", "Já que estamos reformando a cozinha, poderíamos trocar a geladeira e o fogão". E por aí vai. É a desculpa perfeita para gastar mais. Afinal, de acordo com a Teoria da Contabilidade Mental, aquele gasto está orçado na grande caixinha "reforma". E ali, como sabemos, cabe tudo e mais um pouco.

A contabilidade mental é um truque muito usado quando da aquisição de bens caros, mas não só. Colocamos coisas em "caixinhas mentais" o tempo todo para esconder despesas. Nesse sentido, a caixinha mais perniciosa de todas é a do "eu mereço".

A caixinha do "eu mereço" comporta todos os gastos extravagantes que possamos fazer, sempre com a desculpa (no caso, a contabilização mental) de que, depois de um dia de cão, de uma semana de cão, de um ano de cão, merecemos aquele "mimo". E o tal mimo não costuma respeitar o espaço do orçamento. Afinal, "eu mereço".

Não que não mereçamos. Merecemos muitas coisas. O problema é que o orçamento não costuma se sensibilizar com o merecimento da pessoa. E aquela roupa, aquela viagem, aquela joia adquiridas como uma compensação mais do que merecida pelo sofrimento da vida, cedo ou tarde acabam trazendo mais sofrimento. Porque, ao sofrimento "normal", agrega-se aquele causado pelo descontrole financeiro. Tudo porque contabilizamos mentalmente algo que deveria estar em uma "caixinha regulamentar", aquela que planejamos e priorizamos com antecedência.

O custo marginal

iPhone 11 64 GB:	iPhone 11 128 GB:	iPhone 11 256 GB:
R$ 5.000	R$ 5.300	R$ 5.800

Crédito: Vlado85/123RF.

Temos aqui três modelos de iPhone. Como podemos observar, eles estão em ordem crescente de memória e preços. Qual você acha que vende mais? Sim, acertou, o de 256 GB.

Diante da escolha entre os três tamanhos de memória, o usuário realmente não sabe de quanto vai precisar no futuro. Em um passado não muito distante, 8 GB ou 16 GB eram suficientes, hoje estão longe de sê-lo. Os 64 GB da versão mais barata serão suficientes no futuro? Pagar R$ 800 a mais não parece ser um seguro muito caro para se proteger da evolução da tecnologia. Além do mais, o que são R$ 800 a mais quando já se está pagando R$ 5.000?

Este é o truque usado por muitas empresas para vender o produto mais caro: ancorar a mente do potencial comprador em determinado preço e partir daí para oferecer os produtos mais caros. Já convencido em gastar R$ 5.000, os R$ 800 adicionais não doem tanto no bolso.

Mas esse não é o truque completo. Observe que há uma versão intermediária. São apenas R$ 300 a mais que a versão básica. Como dizem os americanos, *piece of cake* — ou seja, "moleza". A mente do comprador ancora-se nesse novo preço, antes de dar o salto para o próximo. Desta vez, será um salto de R$ 500. Mas, para quem já se dispôs a pagar R$ 5.300, R$ 500 a mais não vão fazer tanta diferença, não é mesmo?

Isso é o que chamamos de *custo marginal*. Marginal porque não considera todo o custo, somente o adicional. O custo marginal é primo-irmão da contabilidade mental, pois se trata, também, de uma forma de contabilizar mentalmente os custos de modo que doam menos. Assim, a pessoa, já conformada em pagar R$ 5.000, coloca mais R$ 800 na conta sem muita dor adicional.

Versões um pouco mais sofisticadas e também um pouco mais caras são a norma da indústria. O problema está em como a decisão de compra é feita. Muitas vezes, compramos coisas mais sofisticadas sem uma real necessidade. Aquele dinheiro adicional, que parece pouco se comparado com o total gasto, pode fazer diferença no orçamento.

A forma mais eficaz de fugir dessa armadilha é usar um truque mental inverso. Voltemos ao preço adicional do iPhone. O que você faria com R$ 300? Ou com R$ 500? Dependendo da família, é a compra de supermercado de uma semana ou até duas. Ou três ou quatro idas a um bom restaurante. Essa é a comparação a ser feita. Às vezes, ficamos regulando e medindo R$ 1 ou R$ 2 no supermercado, enquanto gastamos R$ 800 em sofisticações que raramente, se não nunca, vamos utilizar.

A esse respeito, vale a pena uma pequena digressão: a diferença entre o essencial, o necessário e o supérfluo.

O essencial, o necessário e o supérfluo

Vemos a seguir três amostras do mesmo produto: água.

| 1. | 2. | 3.

Créditos: 1. Imagestore/123RF 2. Utima/123RF; 3. Denismart/123RF.

    Apesar de ser o mesmo produto, você vai concordar que são bem diferentes entre si.

    Em primeiro lugar, um copo de água natural. Água é essencial à vida. Sem água, o ser humano não vive mais do que cinco dias. A segunda figura também mostra um copo de água, mas agora gelada. Às vezes, dependendo do calor, não basta água, tem que ser gelada. Finalmente, a terceira figura é de uma garrafa de Pellegrino. Para quem não conhece, é água com grife. Chega a custar R$ 10 a garrafa nas melhores casas do ramo.

    Pois bem: essa é a diferença entre o essencial, o necessário e o supérfluo. Água é essencial. Água gelada pode ser bem necessária, mas, se não tiver, dá para se virar com água natural. E água Pellegrino é absolutamente supérflua.

    Para termos uma vida de consumo saudável, é preciso distinguir com a maior clareza possível esses três níveis de necessidade. No caso da água, foi fácil. Mas nem sempre é assim.

    Certamente, já paramos para pensar em como conseguíamos viver sem telefone celular quando este não existia. Hoje trata-se de uma necessidade.

O mesmo com o computador, o automóvel, a geladeira e várias outras conquistas da tecnologia. Certo, uma vez acostumado, não há como voltar atrás. Tornam-se coisas necessárias e, para alguns, essenciais.

Mas a coisa muda de figura quando passamos um aperto financeiro e temos que fazer escolhas. O orçamento já não paga tudo a que estávamos acostumados, e precisamos nos livrar do supérfluo e, às vezes, até do necessário, para ficar com o essencial. Saberíamos fazer isso se preciso fosse?

Mas esse exercício não é útil somente quando o cobertor fica curto. Muitas pessoas reclamam que não conseguem poupar nada, que o salário é mais curto que o mês. Esse é o típico caso em que um exercício de essencial/necessário/supérfluo cairia bem. Faça isto: pegue uma folha de papel e crie três colunas — uma para suas despesas essenciais, outra para as necessárias e outra para as supérfluas. O exercício será bem-sucedido se você conseguir classificar pelo menos 10% do seu orçamento como supérfluo. Corte essas despesas e poupe o resultado.

Note que não há uma receita única. Para alguns, comer fora todo domingo é essencial. Já outros não conseguem respirar se não tiverem uma TV por assinatura. O importante é descobrir aquilo que é supérfluo para você. Se, depois de muito esforço, você não conseguir classificar nada como supérfluo, provavelmente é um pobre escravo do consumo e não vai conseguir tomar as rédeas de sua situação financeira, mesmo que venha a ter muito dinheiro.

Os truques do varejo

Tirar dinheiro do bolso de alguém é muito difícil.

Esta frase pode parecer fora de lugar em um mundo dominado pelo consumismo e onde sentimos muita dificuldade em fazer o salário chegar ao final do mês. Do nosso ponto de vista de consumidores, tirar dinheiro do nosso bolso não parece ser assim tão difícil.

Não parece, mas cada gasto que realizamos segue um caminho mental que, muitas vezes, nem nós mesmos conhecemos. Aquela compra que nos parece natural, e até mesmo muito necessária, foi fruto de uma decisão. Essa decisão pode ter sido tomada há muito tempo, de maneira racional, ou pode ter sido fruto de uma "emboscada". Não importa. O que vale é que o vendedor conseguiu convencê-lo a colocar a mão no bolso para comprar um produto ou um serviço específico.

Alguém já disse que vender é uma arte. Mas, na verdade, vender é uma ciência, que pode envolver desde a manipulação de bases de dados gigantescas até truques psicológicos. Sem o nosso conhecimento, somos cobaias de experiências mercadológicas, que vão desde a promoção de uma marca até a forma como somos conduzidos dentro de uma loja. A seguir, vamos entender alguns desses truques que fazem você colocar a mão no bolso. Vale a pena, não para evitar que você compre, mas para tomar decisões mais fundamentadas.

Antes disso, no entanto, vale uma ressalva: não sou daqueles que acham que comprar é pecado. Comprar faz parte da vida, é inevitável. No entanto, devemos prestar atenção ao valor relativo das coisas em nossa vida. Nossos recursos são limitados e, portanto, é preciso maximizar o que fazemos com eles. E maximizar significa extrair o maior valor possível de cada compra. Valor é uma coisa relativa: certas coisas valorizadas por uma pessoa ou uma família não são valorizadas por outra. Cada indivíduo e cada família deve fazer uma hierarquia de valores e empregar o seu dinheiro naquilo que tem mais valor. Aliás, esse é o princípio de qualquer orçamento. A ideia de alertar sobre os truques do varejo é justamente procurar fazer com que a decisão de compra não seja influenciada por outros fatores que não o valor daquela compra para quem está desembolsando o seu suado dinheirinho. O desperdício de recursos em compras inúteis (que não agregam valor) é um dos muitos motivos que levam a um orçamento desequilibrado.

Um carro pelo preço de um almoço

O cérebro humano normalmente tem dificuldade com a relação número-tempo. O foco costuma estar no número, algo concreto, sendo o tempo algo etéreo demais para captar a atenção do indivíduo. Os vendedores conhecem essa dificuldade e a exploram.

Um caso clássico é dividir um grande preço em parcelas diminutas, de modo a parecer algo palatável. Não se trata realmente de dividir em parcelas, já falaremos sobre isso mais adiante. O que se faz é transformar um bem caro em algo ao alcance do bolso de cada um.

Digamos, por exemplo, que um carro custe R$ 50.000 e seja vendido com uma entrada de R$ 10.000, acrescida de 60 suaves parcelas de R$ 1.150. O valor dessa parcela pode parecer alto, visto assim, de maneira bruta. Mas vamos dividir este valor por 30 (número de dias no mês). O resultado é R$ 38,35, o preço de um almoço. Assim, comprar um carro transforma-se, com esse truque simples, em almoçar fora todos os dias. Não parece algo especialmente desafiador, certo?

Obviamente, não é assim. Almoçar fora parece algo muito menor do que comprar um carro. O truque consiste em explorar a dificuldade que temos em medir o que significa almoçar fora todos os dias durante 5 longos anos. Simplesmente não temos essa capacidade.

Veremos, mais para a frente, que essa incapacidade de compreender o tempo trabalha contra nós quando se trata de fazer poupança de longo prazo ou no caso de tomar dívidas. Essa dificuldade assume contornos dramáticos quando associada ao problema de entender juros compostos. Mas não vamos adiantar o assunto, deixemo-lo para outro momento.

Dez vezes sem juros

O parcelamento de compras é uma forma de fazer caber em nosso orçamento um bem que, de outro modo, não seria possível comprar.

Ainda que, para bens de valor muito alto, como um imóvel ou um carro, isso faça sentido (já que poucos conseguem juntar dinheiro suficiente para comprar um apartamento à vista), para a maior parte dos bens essa é uma armadilha em que muitos caem.

A armadilha consiste justamente em tornar acessível um bem que, de outra maneira, não o seria. Não se trata, como vimos no caso do "carro pelo preço de um almoço", de um truque mental. Aqui, a parcela realmente cabe no bolso. Mas a que custo?

O problema é perder-se no meio de tantas parcelas. Não há realmente nada de errado em parcelar, ainda mais se for "sem juros". O problema é a grande chance de perder o controle. Um orçamento feito na ponta do lápis, como descrevemos no primeiro capítulo, ajuda a não se perder. Mas não é fácil.

O ideal é resistir à tentação, principalmente se você tem dificuldade em controlar o seu orçamento. Se não for possível, procure ao menos diminuir ao mínimo possível o número de parcelas. Claro que é mais fácil falar do que fazer. Aquilo que queremos comprar sempre nos parece absolutamente necessário. Um truque que utilizamos aqui em casa e que costuma funcionar é o seguinte: deixe a ideia descansar por uma semana. As compras de itens desnecessários costumam perder o apelo depois desse tempo. Aquela necessidade extrema vai esmaecendo até tornar-se o que é: um capricho, um luxo. As reais necessidades sobreviverão a essa semana de prova. E, neste caso, valerá a pena fazer o parcelamento da compra.

E-commerce

Fechar uma venda sem a atuação de um vendedor de carne e osso é muito difícil. O vendedor é aquele sujeito que o lembra das virtudes do produto e de quanto você está perdendo por não o possuir. Por isso, os algoritmos de vendas estão cada vez mais sofisticados. Sem você perceber, eles o conduzem para a compra. Não estou falando aqui somente dos *marketplaces*, como o Mercado Livre ou a Amazon, onde o consumidor busca um produto específico. Neste caso, ele está propenso a fazer a compra. Estou me referindo principalmente à navegação à toa, que nos leva, através de links espertamente colocados, a sites onde se vendem produtos ou serviços que até aquele momento não nos eram necessários. É o equivalente a passear em um shopping sem nenhum objetivo específico, entrar aleatoriamente em uma loja e sair com um produto.

Essas compras por impulso são comuns na internet. Há muitas técnicas envolvidas, como "Descontos especiais somente hoje", "Bônus imperdíveis" e "Você pode ter o seu dinheiro de volta sem nenhum custo". Uma maneira de evitar essas compras por impulso é perguntar a opinião de alguém da família (o cônjuge é a escolha natural) sobre aquele produto. Isso vai obrigá-lo a explicar o motivo da compra, racionalizando o impulso. Em grande parte das vezes, a vontade de comprar vai sumir antes mesmo dessa consulta, só de pensar na vergonha de ter que defender uma ideia que é absurda. Sim, porque essas compras por impulso não são racionais e morrem quando expostas à luz da razão.

O e-commerce é um avanço tecnológico que facilita em muito a nossa vida. Mas, como qualquer tecnologia, precisa ser utilizada com sabedoria. A tecnologia em si não é boa nem má, só depende do que fazemos com ela.

Lojas físicas

As lojas físicas também têm a sua ciência de vendas. Mesmo quando não há vendedores ativos, você é levado a uma experiência que convence a comprar. Por exemplo: a grande maioria das pessoas, quando entra em uma loja grande, começa o passeio pelo lado direito. Assim, os itens de maior apelo ou maior lucro localizam-se nesse lado da loja.

As vitrines, obviamente, são objeto de grande atenção por parte dos lojistas. São as vitrines que atrairão a vítima, ops, o consumidor para dentro da loja. O santo graal do lojista é fazer com que o potencial comprador venha para dentro da loja, onde será exposto aos produtos e à lábia do vendedor. E a vitrine tem esse papel. Na maior parte das vezes, entramos em uma loja perguntando sobre uma peça que estava na vitrine. Raras vezes levamos aquela peça específica ou somente aquela peça.

A forma mais efetiva de evitar compras por impulso em lojas físicas é... evitar passear sem rumo pelo shopping. Sei que se trata de um programa agradável, mas é agradável justamente porque nos faz ter aquela sensação de posse, ainda que não tenhamos comprado nada. Observamos as vitrines e admiramos os produtos, até que um nos fisga e não conseguimos pensar no motivo pelo qual passamos a vida inteira sem aquilo. A curiosidade leva ao desejo, e o desejo leva à compra. Por impulso.

Liquidações

Liquidação é um nome adequado, pois costuma liquidar o seu bolso. A sensação de estar fazendo uma barganha é irresistível. Poucos resistem à chamada "50% *off*" (o nome em inglês confere um *status* sofisticado ao ato da compra).

E nem estou aqui falando das liquidações *fake*, aquelas em que se vende pela metade do dobro. Existem liquidações verdadeiras. Meu pai teve uma loja de presentes que não deu certo. No final, ele liquidou o estoque a preço de banana. Esta foi uma liquidação verdadeira, que proporcionou aos clientes barganhas reais. Mas, mesmo assim, muitos desses clientes desperdiçaram dinheiro. Por quê?

Porque vários realmente não precisavam daquilo que compraram. Compraram simplesmente porque "estava barato". O problema é que um bem desnecessário é caro, qualquer que seja o seu preço.

As liquidações são úteis quando planejamos determinada compra. Neste caso, aguardar por uma liquidação pode significar uma economia razoável. Isso é muito diferente de comprar coisas pelo simples fato de que "estavam baratas". Essas coisas ficarão encostadas, sem utilidade e aquele dinheiro gasto não terá acrescentado valor à vida da pessoa. Essa é uma armadilha na qual muitos caem e para a qual é bom ficar alerta.

Supermercado

Supermercado é um tipo particular de loja, em que não há vendedores e, portanto, as pessoas se servem sozinhas. Essa característica leva à adoção de alguns truques que procuram levar à compra de determinados produtos, não necessariamente aqueles de que necessitamos.

O truque mais manjado é a colocação dos produtos nas prateleiras. As indústrias pagam aos supermercados pelos lugares mais nobres, aqueles à altura dos olhos ou, melhor ainda, na boca do caixa. Além disso, há produtos deslocados de seus lugares naturais (por exemplo, um molho de tomate na seção de verduras e legumes), com o objetivo de chamar a atenção para uma suposta promoção. O produto, naquele lugar, não permite a comparação de preços, o que torna a venda mais fácil.

Se o truque da localização é o mais óbvio, há outros mais sutis. Por exemplo, você não encontrará um relógio dentro do supermercado. Aliás, você não encontrará relógios em nenhum tipo de loja. A ideia é fazer a pessoa perder a noção do tempo e permanecer o maior tempo possível dentro do estabelecimento. É mais ou menos o que fazem os cassinos de Las Vegas, onde não se tem noção sequer se é dia ou noite. Outro exemplo de truque sutil é, nos supermercados que contam com uma seção de panificação, borrifar um aroma artificial de "pãozinho quente", que serve para aguçar o apetite do cliente e levá-lo a comprar algo na padaria que não estava em seus planos.

Isso nos leva ao antídoto-máster para evitar desperdícios no supermercado: fazer uma lista de compras e, se possível, entregá-la ao membro mais disciplinado do casal, para que esse as faça. Quando fazemos uma lista em casa, pensamos racionalmente sobre as necessidades da família. Podemos até colocar itens supérfluos, afinal, nem só de pão vive o homem. Mas a lista assim feita não foi influenciada pelos truques acima descritos. Pode haver desperdícios em uma lista, mas certamente serão menores do que se fôssemos ao supermercado sem rumo nem objetivo.

CAPÍTULO 3
Dívidas: não ter não é uma opção

Dívida é quase uma palavra proibida no léxico de quem se preocupa com suas finanças. Não à toa: no país das mais altas taxas de juros do mundo, dívidas normalmente representam a antessala do inferno.

Agora estamos vivendo um outro momento, com taxas de juros muito baixas que, parece, vieram para ficar. Claro, posso ser desmentido pela realidade daqui a alguns anos. Como pretendo que este livro seja, de algum modo e em grande parte, atemporal, não vou fazer as orientações aqui descritas dependerem do nível das taxas de juros. Elas valerão para qualquer patamar.

Quando afirmo que não ter dívidas não é uma opção, refiro-me à compatibilização entre as necessidades de consumo e o nosso orçamento. Há itens de consumo que simplesmente não cabem em nosso orçamento ou não podem esperar. O imóvel próprio é o exemplo mais típico. Poucos conseguem comprar um imóvel com recursos próprios. O financiamento imobiliário é quase um destino, a não ser que você decida morar de aluguel para sempre.

O automóvel também é um item de consumo que, muitas vezes, nos leva a assumir dívidas. Óbvio que o ideal seria ter feito uma poupança prévia para esse fim. Mas trata-se de um bem muito caro para a maior parte das pessoas, e reconheço que é difícil juntar todo esse dinheiro, ainda mais quando se é jovem e, portanto, se ganha pouco.

Outra fonte de dívidas é o estabelecimento de um negócio. Quando se é microempreendedor, a dívida da empresa muitas vezes se confunde com a dívida do dono. O limite entre o orçamento da empresa e o orçamento do sócio é tênue, cinzento. E, muitas vezes, o empreendedor subestima a necessidade de capital da empresa. Por isso, muitos se endividam para abrir uma empresa, e se endividam ainda mais para sustentar uma empresa que não tem futuro. A diferença entre perseverança e teimosia é também muito tênue e cinzenta.

Mas não são só os itens de alto valor (imóvel, carro, negócio próprio) que nos empurram a fazer dívidas. Necessidades urgentes para as quais não temos o dinheiro necessário também podem nos obrigar a fazer dívidas temporárias. Claro que, como vimos no capítulo anterior, o ideal seria termos uma reserva de emergência para essas situações. Mas, como sabemos, a maior parte das pessoas não consegue fazer a tal reserva e precisa lançar mão de instrumentos de crédito para cobrir o buraco inesperado no orçamento.

Por fim, há o crédito que serve para cobrir o simples e prosaico descontrole orçamentário do indivíduo ou da família. Como vimos no capítulo anterior, a Teoria do Gás estabelece que o orçamento pessoal ou familiar funciona como um recipiente que será preenchido completamente pelas despesas como um gás, até forçar as paredes do recipiente. No mundo físico, gás em excesso, no limite, faz o recipiente explodir. Já no mundo financeiro, há um truque para aumentar o tamanho do recipiente: *dívidas*.

Fazendo dívidas, o indivíduo consegue encaixar mais despesas do que o seu orçamento permitiria. Essa característica elástica do orçamento tem, obviamente, um limite: o crédito na praça. É preciso encontrar entidades (bancos, financeiras, parentes, agiotas) que estejam dispostas a bancar a expansão das paredes do nosso orçamento. Nesse caso, ao contrário da dívida para pagar bens de maior valor, não há garantia real envolvida. No financiamento imobiliário ou do automóvel, o banco aliena o bem e o toma de volta caso não ocorra o pagamento da dívida. No caso da dívida para bancar gastos cotidianos, não há como oferecer garantias. Por isso, esse tipo de dívida costuma ter os juros mais altos.

E, por falar em juros, vamos dar uma olhada neste que é o inimigo número um de qualquer orçamento.

Taxa de juros: o preço do dinheiro

Do outro lado de uma dívida, há sempre um credor. Este credor, para abrir mão do seu rico dinheirinho, exige um preço. O preço é a taxa de juros.

A taxa de juros não precisa ser necessariamente alta para causar estragos. Vejamos um exemplo. Digamos que um automóvel custe R$ 60.000. Com uma taxa de juros de 1,5% ao mês, teríamos o seguinte montante de juros, dependendo do prazo do financiamento:

Nº de parcelas	Valor da parcela sem os juros	Valor da parcela com os juros[1]	Valor total pago	Diferença (com juros pagos)
12	5.000	5.501	66.010	6.010
24	2.500	2.995	71.891	11.891
36	1.667	2.169	78.089	18.089
48	1.250	1.763	84.600	24.600
60	1.000	1.524	91.417	31.417

[1] Esta parcela é calculada através da fórmula do Excel PGTO(1,5%;N;60.000), sendo N o número de períodos. Os resultados foram arredondados.

É fácil perceber que, quanto mais longo for o financiamento, mais juros estão sendo pagos. No prazo de 60 meses, o carro sai com acréscimo superior a 50%! E isso porque estamos simulando com uma taxa relativamente baixa, de 1,5% ao mês. Isso acontece porque o dinheiro tem um valor no tempo. Quanto mais longo for o período de tempo, maior será esse valor.

Uma observação importante se refere justamente a esse valor do dinheiro no tempo. A comparação que fiz entre o valor do carro à vista e o valor pago através do financiamento não considera a inflação do período. Ou seja, a inflação, neste caso, trabalha a favor do devedor, pois as parcelas (que são fixas) vão se tornando menores *em termos reais* ao longo do tempo. Por "termos reais" queremos dizer que a inflação já foi descontada. A tabela anterior apresenta os valores *nominais* das prestações. Mas é bem diferente uma parcela de R$ 1.523,61 paga hoje e a mesma parcela paga daqui a 5 anos. A inflação vai comer uma parte desse valor, tornando-se mais leve para o bolso do devedor.

Vamos a um exemplo concreto. Digamos que o devedor receba anualmente um aumento de salário de 5%. Esse aumento vai compensar a inflação do período mais um ganho por mérito. A cada ano, portanto, as parcelas vão ficando 5% mais "baratas" para o devedor, porque vão representar uma parcela menor do seu orçamento. Suponhamos, por exemplo, que o nosso devedor tenha um salário de R$ 10.000. A parcela de R$ 1.523,61 representa, no início, 15,24% do seu salário. Já no último ano, depois de receber quatro aumentos de 5%, o seu salário passou a ser de R$ 12.155, e a parcela representa agora 12,53% do seu salário.

Vamos repetir a tabela anterior, agora considerando a desvalorização das parcelas pela inflação de 5% ao ano ao longo do tempo.

Nº de parcelas	Valor da parcela sem os juros	Valor da parcela com os juros[1]	Valor total pago	Diferença (com juros pagos)
12	5.000	5.501	66.010	6.010
24	2.500	2.924	70.179	10.179
36	1.667	2.067	74.430	14.430
48	1.250	1.641	78.747	18.747
60	1.000	1.385	83.115	23.115

1 Esta parcela é calculada através da fórmula do Excel PGTO(1,5%;N;60.000), sendo N o número de períodos. Os resultados foram arredondados.

Observe que quanto mais tempo passa, maior a "diluição" do valor da parcela. Ou, em outras palavras, a prestação vai ficando "mais baixa", em termos reais, à medida que o tempo vai passando.

Mas, mesmo assim, podemos observar também que a diferença entre o preço à vista e o preço a prazo é muito grande. Este é o custo de não ter todo o dinheiro hoje. Muitos se esquecem de considerar esse montante adicional pago (que pode ser visto na coluna "Diferença") como uma despesa adicional no seu orçamento. Trata-se de uma despesa insidiosa, porque invisível. Ela está embutida nas parcelas pagas, e a despesa com os juros "desaparece" na parcela. Como normalmente não somamos as parcelas, não percebemos quanto a mais estamos pagando por aquele bem.

O que importa, para quem está tomando uma dívida para comprar um bem, é só uma coisa: *se a parcela cabe no orçamento*. Quantos de nós já não passamos pela seguinte situação: estamos rodando por uma loja, assim, como quem não quer nada, e paramos diante de um objeto qualquer que nos atrai a atenção. O vendedor, muito solícito, avança com agilidade em direção à presa, quero dizer, ao cliente. Pergunta no que pode ajudar, e então perguntamos quanto custa aquele objeto. Ao tomarmos conhecimento do preço, começamos a nos perguntar onde estávamos com a cabeça em achar que poderíamos comprar aquele objeto. Mas o vendedor, experiente e atento aos nossos menores movimentos faciais e corporais, saca o argumento muitas vezes infalível: "Mas dá para dividir em 10 vezes sem juros!". Sim, aquele objeto que nos parecia inacessível de repente cabe no bolso! Por que não?

A mágica do parcelamento é justamente esta: em vez de comparar o preço com o seu salário mensal, a comparação agora se dá com 10 salários. Ou, inversamente, o objeto passa a custar "apenas" um décimo do preço. A armadilha aqui é que o objeto não ficou nem um real mais barato. Ele continua tão caro quanto antes, quando consideramos que aquilo não era para o nosso bico. Isso significa que vamos gastar o mesmo dinheiro, só que, dessa vez, em "10 suaves prestações". E ainda mais, sem juros!

Ora, o que muitas vezes esquecemos é que, ao estendermos o pagamento por 10 meses, estamos comprometendo o orçamento dos 9 meses seguintes. Os meses seguintes trarão novos gastos, mas o orçamento estará tomado por este compromisso que fizemos. Isso é óbvio, mas acontece algo muito estranho em nosso cérebro quando somos colocados diante dessa decisão. Parece que o objeto realmente ficou mais barato.

Não, não é proibido parcelar. Como falei no início deste capítulo, é quase impossível não assumir dívidas. Mas é preciso ter um controle excepcional do orçamento para não se perder nas muitas parcelas assumidas para comprar coisas que se tornaram "baratas" pela mágica do parcelamento. Se você não é dessas pessoas que controlam seu orçamento na ponta do lápis, a maneira mais segura de não se perder no labirinto é não entrar nele.

"Mas eu entrei no labirinto, como faço para sair?"

É o que veremos a seguir.

Saindo do labirinto das dívidas

A maneira mais fácil de se livrar das dívidas é simplesmente não pagando. Para quem não se importa de ficar com o nome sujo na praça e não tem receio de ser preso por isso, essa é, sem dúvida, a melhor opção. Pena que pode ser utilizada apenas uma vez, pois o nome sujo impede novas dívidas. A partir daí, o devedor contumaz será obrigado a viver dentro do seu orçamento, o que não é tarefa fácil para quem se acostumou a alargar suas paredes com dívidas.

Portanto, a opção de não pagar dívidas talvez seja muito radical. Mas sair do labirinto envolverá dar algum calote, em maior ou menor grau. Será um calote negociado, não selvagem.

Os estudantes da São Francisco, tradicional faculdade de Direito de São Paulo, iniciaram uma tradição que depois foi adotada por outros futuros advogados: no aniversário do seu grêmio estudantil, 11 de agosto, entram em um restaurante, comem e bebem do bom e do melhor e, na hora da conta, anunciam a todos que não vão pagar. Trata-se do tradicional "pendura", que pode ter três modalidades: tradicional, consensual e selvagem.

O modo tradicional é esse descrito acima: os estudantes anunciam o "pendura", fazem um discurso defendendo a tradição e afirmam que não vão pagar a conta, arcando com as consequências, que podem envolver até um passeio à delegacia mais próxima. O modo consensual envolve uma negociação anterior com o dono do restaurante, que, já conhecedor da tradição, reserva alguns almoços para brindar os estudantes. Trata-se, digamos, de um "pendura Nutella". Já na modalidade selvagem, os estudantes, ao fim do almoço, simplesmente fogem do restaurante, deixando um pedaço de papel sobre a mesa com o discurso que deveria ter sido lido.

Assim, podemos também classificar as formas que podem assumir a negociação de dívidas. Deixar de pagar as dívidas é o que poderíamos chamar de "estilo selvagem" de negociação. A pessoa simplesmente corre das suas obrigações. O problema, como já dissemos acima, é que o nome fica sujo na praça. Ao contrário dos estudantes, que podem repetir à vontade sua estratégia em diferentes restaurantes, existe um cadastro de maus pagadores à mão de todos aqueles que concedem crédito.

A abordagem "tradicional", que consistiria no anúncio do calote seguido de um discurso contra a opressão do sistema capitalista, que não está nem aí para a necessidade dos pobres (o que inclui o próprio devedor, claro), não costuma sensibilizar o coração duro feito pedra dos credores. O resultado prático é o mesmo obtido pelo calote selvagem.

O método que realmente funciona é o "calote consensual". Para que isso seja possível, é preciso, antes de tudo, ter um levantamento de todas as suas dívidas. Se você está perdido, há um modo de fazer esse levantamento, pelo menos de suas dívidas com entidades financeiras: é através do Registrato,[2] um serviço do Banco Central que centraliza os relacionamentos financeiros de todos os brasileiros que têm um número de CPF. Através do Registrato, podemos obter uma lista de todas as nossas dívidas até 20 dias atrás, seja no cartão de crédito, no cheque especial ou em qualquer outra modalidade de crédito financeiro.

Também precisamos listar os empréstimos feitos por fora do sistema financeiro: parentes, amigos, agiotas, enfim, todos que, de algum modo, sejam nossos credores. É essencial que esse passo seja feito da forma mais precisa possível: qualquer plano vai partir desse conjunto inicial de informações. Se houver imprecisões, obviamente o plano será menos eficiente.

Uma vez de posse da lista de todos os nossos credores e dos valores devidos, devemos classificá-los por ordem de importância, adotando certos critérios:

- Credores com grau de exigência maior devem vir antes de credores com menor grau de exigência. Por exemplo, agiotas que estejam ameaçando sequestrar sua família e arrancar os seus olhos obviamente devem estar na frente daquela tia que nem sequer se lembra de ter emprestado dinheiro para você.
- Credores financeiros devem estar na frente de credores não financeiros, pois são profissionais na arte da cobrança e vão colocar o seu nome na lama da Serasa sem dó nem piedade.
- Dívidas com garantias reais devem estar na frente de dívidas sem garantias, pois os credores podem executar a garantia e tomar o seu bem.

---

2 O endereço do site no momento em que este livro foi escrito era https://www3.bcb.gov.br/registrato/relatorios. Mas este endereço pode mudar com o tempo. De qualquer forma, basta buscar "Registrato" no Google.

- Finalmente, dívidas pequenas devem estar na frente de dívidas grandes. É mais fácil lidar com poucos credores grandes do que com muitos credores pequenos. Como diz o velho ditado, se você deve um real, você não dorme à noite, mas se você deve um milhão, quem não dorme é o seu credor.

Uma vez tendo uma noção precisa de quanto se deve, passamos à segunda fase: a negociação em si. Na negociação, seu objetivo será obter uma ou mais das três concessões abaixo:

1) Redução do principal da dívida.
2) Alongamento do prazo da dívida, de preferência com um prazo de carência.
3) Diminuição dos juros da dívida, com a consequente redução das parcelas a serem pagas.

Mas estou colocando o carro na frente dos bois. Sair negociando com os credores sem ter uma noção mínima do objetivo que se pretende atingir é como tentar chegar a um endereço em uma cidade desconhecida sem um GPS.

O objetivo final da renegociação é fazer com que o serviço da sua dívida caiba no seu orçamento. Ou seja, que os juros possam ser pagos. Para isso, você precisa, além de fazer um levantamento da dívida, abrir espaço no seu orçamento para pagar os juros. E é nesse ponto que muitos planos de renegociação de dívidas naufragam. Porque, após a renegociação, abre-se um espaço no orçamento que antes não estava lá. E a tentação de usá-lo para gastos adicionais pode se tornar irresistível. É a Teoria do Gás novamente em ação!

Na verdade, o grande desafio de renegociar dívidas não é nem a renegociação em si. Esta, na verdade, é a parte mais fácil. A reengenharia do próprio orçamento é o mais difícil. Se o orçamento familiar não for readequado à realidade, voltar à rotina de dívidas impagáveis será somente uma questão de tempo. Será como tirar a água da sala após uma chuva, mas sem consertar o telhado. Na próxima chuva, a sala ficará alagada novamente.

Ao analisarmos o próprio orçamento, podemos chegar à conclusão, horrorizados, de que não há espaço nenhum para pagar juros. Na verdade, podemos inclusive chegar à conclusão de que não só não há espaço para pagar juros, mas que, além disso, estamos gastando mais do que ganhamos, aumentando o rombo ao invés de diminuí-lo. Nessa situação, qualquer renegociação é inútil. Completamente inútil.

Vou contar aqui um caso real. Certa vez, um casal, já no final da fase que costumamos chamar de meia-idade, se viu enredado em uma teia de dívidas que comiam uma parte relevante da sua pouca renda. Aquilo já havia virado uma bola de neve sem solução. Um amigo comum chamou-me para tentar ajudá-los.

Adotei a abordagem de livro-texto, como descrevi acima. Descobrimos, para o horror do casal, que eles não tinham espaço no orçamento para pagar nem metade da taxa de juros que estavam pagando. Por mais que conseguíssemos descontos no principal e nos juros, dificilmente chegaríamos ao montante necessário para reequilibrar o orçamento. A única saída que realmente resolveria o problema seria a venda do único bem que possuíam: o apartamento em que viviam.

Claro, haveria outra saída: apertar o orçamento de maneira draconiana, rebaixando o padrão de vida do casal de maneira bem relevante. Então, a escolha se dava entre manter o bem tão arduamente conquistado ou rebaixar o padrão de vida. Não havia uma terceira via, uma solução sem dor que pertence ao universo mágico daqueles que se recusam a aceitar a realidade. A escolha foi pela venda do apartamento.

Com essa história quero mostrar que a renegociação de dívidas vai muito além de planilhar e negociar as dívidas. Para quem está no labirinto das dívidas, é necessário muitas vezes tomar decisões duras, que envolvem coisas que nos são caras. É preciso que nos convençamos de uma vez por todas: não existem soluções fáceis para problemas difíceis.

Uma modalidade de dívida para cada necessidade

A seguir, vamos ver algumas modalidades de dívidas, como funcionam e como podem nos ser úteis.

Cartão de crédito

Corria o ano de 1949, e Frank McNamara foi jantar em um de seus restaurantes favoritos em Nova York. No momento de pagar a conta, McNamara descobriu, envergonhado, que havia esquecido a carteira em casa. Sua esposa teve que ir às pressas salvá-lo.

Um ano depois, McNamara foi ao mesmo restaurante e, na hora de pagar a conta, sacou de sua carteira não dinheiro, mas um pequeno cartão de papelão, o Diners Club Card. Aquele foi o primeiro cartão de crédito.

Mas por que, afinal, o dono do restaurante aceitaria aquele cartão no lugar do bom e velho dólar? Vejamos o esquema a seguir:

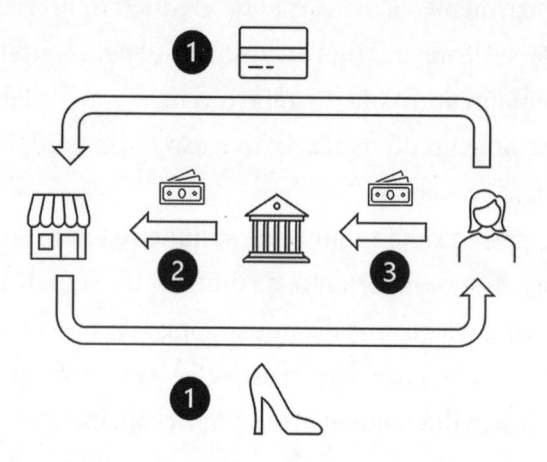

O cliente vai a uma loja e compra uma mercadoria com cartão de crédito. Este é o passo número 1. No passo número 2, o banco que emitiu o cartão adianta o dinheiro da mercadoria para o lojista e, no passo número 3, o cliente paga o valor da mercadoria para o banco. Essa ginástica toda foi feita para permitir que o cliente não precise carregar dinheiro consigo, como Frank McNamara na década de 1950.

No entanto, hoje em dia não precisamos realmente de um cartão de crédito. O cartão de débito consegue perfeitamente substituir o dinheiro. Aliás, outros meios de pagamento que não envolvem dinheiro vivo estão igualmente disponíveis, como a transferência entre contas. O Pix, sistema desenhado pelo Banco Central do Brasil, permite a transferência imediata de dinheiro entre contas bancárias, 24 horas por dia, 7 dias por semana, 365 dias por ano. Portanto, o cartão de crédito poderia ser até aposentado, a não ser que...

A não ser que você não tenha dinheiro no banco. Neste caso, não há como transferir dinheiro on-line. Mesmo com o advento das transferências on-line, os cartões de crédito continuam sendo úteis em duas situações:

1) para organizar o fluxo de caixa; e
2) para aqueles que não possuem dinheiro na conta e, mesmo assim, querem ou precisam gastar.

Eu, particularmente, uso o cartão de crédito em função da primeira situação. Trata-se de um instrumento muito útil para concentrar todos os pagamentos em um único dia. Escolho o vencimento da fatura do cartão no dia do recebimento do meu salário e uso o dinheiro do salário para pagar a fatura.

Claro que, nessa primeira situação, o dinheiro existe ou vai existir na conta-corrente. Trata-se, portanto, de um instrumento de crédito provisório, apenas para adequar os débitos ao longo do mês com o crédito do salário. Como não há juros neste caso, é bastante vantajoso. A não ser que os preços sejam diferentes para a compra com cartão e com dinheiro, mas normalmente não é o caso. Nessa primeira situação, 100% da fatura é paga mensalmente, não há rolagem da dívida. Lembre-se: você tem o dinheiro, é só uma adequação do fluxo de caixa.

A segunda situação é que leva ao quinto círculo do inferno do endividamento. Nesse caso, o cartão de crédito é uma maneira fácil de tomar crédito. O banco estabelece um limite *a priori*, e o dono do cartão usa esse limite para comprar mais coisas do que o seu orçamento tem condições de suportar. Ou seja, o cartão de crédito serve para alargar as paredes do orçamento. O problema é que se trata de um dos juros mais altos do mercado financeiro (ao lado dos juros do cheque especial), e, além do déficit que levou à dívida, somam-se os juros, levando a um efeito bola de neve de endividamento.

A legislação atual exige que os bancos deem um fim a esse efeito bola de neve, ao determinar que uma linha de crédito pessoal seja aberta no valor da dívida do cartão após um mês da primeira "rolagem". Ou seja, aquela dívida que permitia rolagem eterna passa a ter data para terminar, com um número específico de parcelas. O lado negativo (ou positivo, depende do ponto de vista) é que o nome do devedor é negativado nos serviços de proteção ao crédito se houver atraso no pagamento das parcelas desse crédito pessoal. Antes dessa legislação, o devedor podia continuar pagando somente o mínimo da fatura a cada mês, sem ter seu nome negativado. Assim, a bola de neve continuava crescendo sem que o devedor sofresse qualquer consequência. Por isso, entendo que o fato de ter uma obrigação de pagamento com consequências para o seu nome na praça é, no final das contas, positivo para o devedor. Serve como alerta para o seu nível de endividamento e uma forma de limitar o seu orçamento antes que seja tarde demais.

O casal descrito acima tinha nada menos que 24 cartões de crédito ativos, entre cartões de bancos e de lojas. Obviamente, tratava-se de um mecanismo de transferência de dívida, de um cartão de crédito para o outro. A bola de neve extrapolava os limites dos cartões, que precisava de outros cartões para continuar rolando.

E o que dizer da *compra parcelada no cartão, sem juros*? Talvez seja um dos maiores crimes contra a poupança popular de todos os tempos. Em primeiro lugar, porque sabemos que não existe isso de "sem juros". Tudo o que não é pago na hora tem juros. E alguém está pagando, pode ter certeza. Os juros podem estar embutidos no preço do produto ou estar sendo cobrados de outros devedores. No caso do cartão de crédito, os juros das compras parceladas "sem juros" estão embutidos nos juros cobrados de quem atrasa o pagamento da fatura. Este é um dos motivos pelos quais os juros do cartão de crédito são tão altos.

Mas a compra parcelada sem juros é perniciosa por outro motivo. Quando, por exemplo, compramos uma mercadoria através do velho carnê, avaliamos se aquelas parcelas caberão em nosso bolso. Aquela mensalidade passa a ocupar uma parte do nosso orçamento. E precisamos pagar o carnê todo mês, sob a ameaça de ficarmos com o nome sujo na praça.

No caso do parcelamento no cartão de crédito, é muito mais difícil de controlar a coisa toda. Aquela mensalidade se perde dentro do cartão, confundindo-se com outras despesas. A única "mensalidade" que precisamos pagar é a fatura do cartão, que pode envolver vários parcelamentos e os gastos do próprio mês corrente. Aquele parcelamento "desaparece" como que por mágica. O controle desse tipo de despesa é muito, mas muito mais difícil. E, é claro, os comerciantes amam de paixão o parcelamento sem juros.

O cartão de crédito é uma invenção financeira que pode ser bastante útil se houver disciplina. Mas o seu uso não é trivial. É necessário anotar os gastos com o cartão de crédito como se eles já tivessem saído da conta-corrente. Ou seja, o saldo da conta-corrente não é um bom indicativo de quanto dinheiro se tem quando se usa o cartão de crédito. E isso piora exponencialmente se fazemos parcelamento no cartão. O nível de controle necessário, nesse caso, está bem acima do que a maior parte dos mortais consegue alcançar. Eu, por exemplo, não consigo. Por isso, mesmo em caso de parcelamento (e faço parcelamento "sem juros"), considero que aquele dinheiro todo saiu da minha conta-corrente naquele momento. Ou seja, já comprometo o meu orçamento no total do gasto, mesmo que vá pagar em parcelas. Desse modo, o dinheiro para o pagamento já fica guardado e é usado para pagar as próximas faturas. Se você não tem esse nível de disciplina, fuja do parcelamento como o diabo foge da cruz.

Cheque especial

Se o cartão de crédito é um instrumento que ainda pode ser útil quando usado com disciplina, o chamado cheque especial nem isso. Não há utilidade nenhuma em poder usar dinheiro acima do saldo existente na conta-corrente.

Claro, sempre pode existir aquele momento de pânico, em que temos um gasto emergencial acima da nossa liquidez naquele ponto, e o limite do cheque especial é a única saída no curto prazo. Neste caso muito específico, o cheque especial pode ter alguma utilidade. Mas, normalmente, não é isso que acontece. Os viciados em cheque especial usam o limite como extensão do seu orçamento. Ampliam, assim, as paredes do seu orçamento com o uso do cheque especial. Ocorre que, a exemplo do cartão de crédito, os juros do cheque especial são extorsivos e logo começam a pesar como mais um item do orçamento. Com o agravante de que não há, até o momento, nenhuma legislação que obrigue os bancos a transformar aquela dívida em uma linha de crédito pessoal, como ocorre com o cartão de crédito.

Mas, analisando atentamente, vamos notar que o limite do cheque especial usado para expandir o orçamento é, na verdade, uma grande ilusão. Vejamos um exemplo concreto.

Cláudio tinha um emprego razoável em uma multinacional, com um salário líquido de R$ 7.000 por mês. Tudo parecia caminhar bem quando, em determinado mês, ele ficou surpreso por ter entrado no cheque especial. Não havia acontecido nada de mais, não houve nenhum gasto extraordinário, mas sua conta bancária terminou o mês em R$ 200 negativos. Longe de ser uma fortuna, mas aquele saldo, que permaneceu negativo até o dia do seu pagamento, lhe custou R$ 5 de juros. Cláudio ficou surpreso, mas não preocupado. Afinal, eram valores pequenos, nada que afetasse sua renda de maneira relevante.

No mês seguinte, o saldo de sua conta-corrente terminou em R$ 500 negativos. Bem mais do que no mês anterior, porém, ainda longe de preocupá-lo. Os dias em que o saldo ficou negativo também aumentaram, fazendo com os juros acumulados fossem de R$ 20 naquele mês. O limite do seu cheque especial era de R$ 2.000, então não havia com que se preocupar.

Nos 6 meses seguintes, entre subidas e descidas, o saldo negativo foi aumentando, até que chegou ao limite de R$ 2.000. Foram necessários, portanto, 8 meses para que o limite fosse atingido. Ou seja, na média, Cláudio gastou R$ 250 a mais por mês além da sua renda. Desses R$ 250, cerca de R$ 150 foram somente os juros do cheque especial. Houve até um esforço de poupança, pois nos primeiros meses os gastos acima do seu orçamento foram até maiores. Mas esse esforço foi engolido pelos juros do cheque especial. E agora?

Bem, agora, Cláudio encontra-se na seguinte situação: seus gastos mensais (incluindo juros) estão em cerca de R$ 250 acima de sua renda. Ele precisa necessariamente economizar esse montante por mês *somente para deixar as coisas como estão*. O limite do cheque especial estabelece como que um fim de linha para os gastos do Cláudio.

Observe que, a partir desse ponto, ele terá que fazer um esforço de poupança muito maior do que no início desse processo. Além de cobrir o buraco do seu orçamento, ele terá que economizar para pagar os juros e o principal (o limite de R$ 2.000) do cheque especial. O que começou com um buraco de R$ 200 por mês tornou-se uma dívida de R$ 2.000. E o que é pior: uma dívida que precisa ser paga de qualquer jeito, dado que o limite do cheque especial foi atingido. Ou seja, as paredes do orçamento do Cláudio devem se estreitar do dia para a noite, a não ser que ele encontre outra linha de crédito. Qualquer que seja a solução encontrada, Cláudio deverá fazer uma reengenharia do seu orçamento para não cair novamente na armadilha do cheque especial.

O cheque especial é uma dívida muito cômoda, pois não exige que o devedor pague prestações. Essa comodidade, no entanto, tem um limite: o limite do cheque especial. Quando o limite é atingido, pelo menos os juros deverão ser pagos, além do buraco no orçamento que precisa ter sido eliminado. Então a solução para sair dessa armadilha passa por duas etapas:

1) eliminar o déficit do orçamento; e
2) contratar um crédito pessoal com taxa mais baixa e data para terminar. Assim, torna-se mais fácil disciplinar o pagamento da dívida. É o que veremos a seguir.

Crédito pessoal ou para a compra de bens

Como já afirmei, o crédito pessoal de qualquer tipo deveria substituir rapidamente a dívida do cartão de crédito e do cheque especial. Não somente por ser uma dívida mais barata, mas porque tem um fim dentro de um horizonte de tempo determinado. Essa característica força a disciplina financeira do devedor: a prestação passa a fazer parte explicitamente do orçamento, e fica claro quanto precisamos economizar para pagar a dívida.

O mecanismo de qualquer empréstimo pessoal (desde o popular carnê até o crédito consignado e o financiamento de automóveis e imóveis) passa pelo estabelecimento de duas variáveis: prazo e taxa de juros. No entanto, a maioria das pessoas não escolhe o crédito pessoal de acordo com essas duas variáveis, mas sim conforme uma terceira, resultado dessas duas: o *tamanho da parcela*.

Se o valor da parcela cabe no orçamento, é essa modalidade de crédito pessoal que contratamos. E não está errado: no fim das contas, o que importa realmente é se poderemos ou não pagar o empréstimo. Os bancos e o comércio sabem desse fato. Por isso podem enfiar a faca no tamanho da taxa de juros, pois o grande número de parcelas resulta em uma prestação que "dá para pagar". O ser humano tem uma grande dificuldade em lidar com a noção de tempo e não consegue distinguir realmente entre um compromisso de 24 meses ou de 36 meses. Na verdade, qualquer coisa que passe dos próximos 6 meses sempre parece "muito longe". É a mesma dificuldade que existe em distinguir 1 milhão de 1 bilhão. Passou dos 1.000, começamos a ter dificuldade de compreender a grandeza do número.

Como vimos logo no início deste capítulo, o valor total pago no bem é diretamente proporcional ao prazo do financiamento. Na tabela a seguir, mostramos quanto a mais pagamos por um bem, a depender do nível das taxas de juros e do prazo.

		Prazo (em meses)				
		6	12	24	36	60
Taxa de juros mensal	0,5%	2%	3%	6%	10%	16%
	1,0%	4%	7%	13%	20%	33%
	1,5%	5%	10%	20%	30%	52%
	2,0%	7%	13%	**27%**	41%	73%
	3,0%	11%	21%	42%	65%	117%

Um exemplo: no condomínio onde moro, certa vez precisamos fazer uma grande reforma para adequar o edifício às exigências dos bombeiros. Essa reforma custou R$ 100.000. Os condôminos não queriam pagar à vista, então o síndico recorreu a um empréstimo bancário. Foram 24 parcelas com juros de 2% ao mês. Olhando na tabela acima, podemos observar que os condôminos pagaram 27% a mais pela reforma, ou R$ 27.000 adicionais. Enfim, esse é o custo de não desembolsar tudo de uma vez. Será que valeu a pena? Depende da condição pessoal de cada condômino. Veremos a resposta a essa questão no Capítulo 6.

Um ponto importante antes de seguirmos: a taxa de juros que vale é o chamado Custo Efetivo Total (CET), que todo banco é obrigado a informar a quem toma um empréstimo. O CET engloba a taxa de juros básica e todos os eventuais pendurichalos do empréstimo: taxas, impostos, registros, seguros etc. Todos esses custos são também financiados e incluídos nas parcelas, de modo que engordam o valor total a ser pago pelo tomador do empréstimo. Sendo assim, é muito importante conhecer o CET e fazer as contas com base nessa taxa de juros.

Crédito imobiliário

O crédito imobiliário é um tipo específico de crédito pessoal. Resolvi tratá-lo em uma seção à parte porque, normalmente, é a maior e mais longa dívida que as pessoas assumem ao longo de sua vida. Tanto é assim que o Banco Central, quando divulga o endividamento das famílias, separa o crédito imobiliário de todas as outras dívidas.

Não poderia ser de outra forma. Se para todos os outros bens é possível, com um pouco de sacrifício, juntar dinheiro para comprar à vista, no caso do imóvel (em especial o primeiro) isso é praticamente impossível. Sendo assim, a dívida feita para comprar um imóvel é quase inevitável. A não ser que se decida não comprar, mas alugar. Falaremos sobre isso no Capítulo 6.

Como qualquer outro crédito pessoal, o crédito imobiliário é composto de duas partes: o principal e os juros. Se não nos aprofundamos sobre isso até o momento é porque, para pequenas quantias, essa distinção não faz muita diferença. Mas, para um imóvel, é importante entender quando se está pagando a dívida (que chamamos de pagar o *principal* ou *amortizar a dívida*) e quando se está pagando os juros sobre a dívida. Vamos a um exemplo hipotético, só para entender esse conceito.

As metodologias SAC e Tabela Price

Você está financiando um imóvel no valor de R$ 600.000. Deu como entrada R$ 100.000 e vai financiar os restantes R$ 500.000 em 10 prestações. A taxa de juros é de 1% ao mês. Existem basicamente dois sistemas de pagamento dessas prestações: o Sistema de Amortização Constante (SAC) e a Tabela Price. Na tabela a seguir, vamos observar como funcionam essas duas metodologias de pagamento do financiamento.

	SAC					Tabela Price			
Mês	Juros	Amortização	Parcela	Principal		Juros	Amortização	Parcela	Principal
0				500.000					500.000
1	5.000	50.000	55.000	450.000		5.000	47.791	52.791	452.209
2	4.500	50.000	54.500	400.000		4.522	48.269	52.791	403.940
3	4.000	50.000	54.000	350.000		4.039	48.752	52.791	355.188
4	3.500	50.000	53.500	300.000		3.552	49.239	52.791	305.949
5	3.000	50.000	53.000	250.000		3.059	49.732	52.791	256.218
6	2.500	50.000	52.500	200.000		2.562	50.229	52.791	205.989
7	2.000	50.000	52.000	150.000		2.060	50.731	52.791	155.258
8	1.500	50.000	51.500	100.000		1.553	51.238	52.791	104.019
9	1.000	50.000	51.000	50.000		1.040	51.751	52.791	52.268
10	500	50.000	50.500	0		523	52.268	52.791	0
Total	27.500	500.000	527.500			27.910	500.00	527.910	

Uma breve explicação sobre essa tabela. Em cada linha, temos os juros pagos em cada mês. Esses juros são sempre calculados com base no principal da linha anterior. Ou seja, os juros são proporcionais ao principal não pago até aquele momento. Observe como, nas duas metodologias, os juros do primeiro mês somam R$ 5.000, que é o resultado da taxa de 1% ao mês aplicada sobre o principal do período anterior, de R$ 500.000.

A amortização é o montante que será diminuído do principal em cada mês, ou seja, a quantia abatida do principal. Esse valor é importante, pois, quanto maior, menores serão os juros do período seguinte. Lembre-se: os juros incidem sobre o principal do mês anterior. Se este principal diminuir porque amortizamos a dívida, menos juros serão cobrados.

A parcela total a ser paga é a soma dos juros com a amortização. Por isso dissemos acima que, escondidos na parcela que você paga todo mês, estão os juros e a amortização da dívida. Isso vale para qualquer financiamento, de qualquer natureza: você sempre estará pagando juros e amortizando a dívida.

Agora que explicamos a tabela, vamos entender as diferenças entre as duas metodologias. Em primeiro lugar, observe como, em ambos os casos, o principal começa em R$ 500.000 e termina em R$ 0, quando toda a dívida está paga. Esta é a única semelhança. A partir daí, as metodologias se diferenciam pelos juros pagos, pelo tamanho das parcelas e pelo montante amortizado a cada mês. Vamos ver por que isso acontece e qual a melhor metodologia para você.

Comecemos pelo SAC. Nessa metodologia, a amortização é constante ao longo do tempo (daí o nome do sistema) e igual ao principal inicial dividido pelo número de parcelas. No caso, são R$ 500.000 divididos por 10 parcelas. Ou seja, amortizamos 1/10 da dívida a cada mês, ou R$ 50.000 por mês.

Os juros, como já explicamos acima, são aplicados sobre o principal que sobra a cada mês. Temos assim o total da parcela em cada mês, fruto da soma dos juros com a amortização. Observe que *o valor das prestações é decrescente com o tempo*. Isso acontece porque o principal vai decrescendo ao longo do tempo, o que faz com que os juros pagos também caiam com o tempo. Como o valor da amortização é constante, os juros decrescentes resultam em parcelas decrescentes ao longo do tempo.

Vejamos agora a Tabela Price.

Na Tabela Price, o tamanho das parcelas é que é fixo, pois são calculadas com base no prazo e na taxa de juros,[3] de modo a zerar o principal no final do período. Assim como no esquema SAC, os juros são calculados sobre o principal do mês anterior. Temos o valor da parcela, temos os juros pagos, então a diferença é o principal amortizado. Observe como, na Tabela Price, o total amortizado no início é menor do que no final. Por isso, os juros são maiores no início e vão diminuindo com o tempo.

Agora, observe as duas tabelas. Na linha final de cada uma delas, temos a soma dos juros pagos durante o financiamento. Note como o montante de juros pagos na Tabela Price é maior do que no SAC. Isso acontece porque, na metodologia da Tabela Price, menos do principal do financiamento é amortizado do início quando comparado ao SAC, gerando maior cobrança de juros. Isso já nos dá uma pista da diferença fundamental entre as duas metodologias.

Na metodologia SAC, o valor da parcela é maior no início, porque amortizamos mais. Já na Tabela Price, o valor da parcela é constante no tempo, mas o total de juros pagos é maior ao longo do prazo de financiamento. E isso piora na medida em que o prazo do financiamento é maior. Por exemplo, se o prazo fosse de 180 meses com a mesma taxa de juros, o total de juros pagos na modalidade SAC seria de R$ 452.500, ao

---

3 Esta parcela é calculada através da função do Excel PGTO(1%;180;500.000).

passo que, na modalidade Tabela Price, os juros seriam de R$ 580.151. Ou seja, a diferença é de quase R$ 130.000 em um financiamento de R$ 500.000, somente pela escolha da metodologia de amortização.

Portanto, é melhor se você puder escolher o esquema SAC, porque economizará nos juros pagos. Além disso, se sacrificará no início, mas o valor das parcelas cai ao longo do tempo, o que não deixa de ser agradável.

Por outro lado, a Tabela Price tem a vantagem de oferecer previsibilidade do montante gasto mensalmente (que é fixo), além de uma parcela menor no início. Enfim, a escolha é sua, não há certo nem errado aqui.

Outra decisão que o tomador do empréstimo imobiliário deverá tomar é o indexador da sua dívida. Há três alternativas: taxa referencial (TR), IPCA ou taxa prefixada. E como escolher entre essas três modalidades?

Até recentemente, a única modalidade disponível de financiamento imobiliário era a TR. Criada em 1990, a TR funcionava como uma espécie de correção monetária, nos tempos da inflação alta. A TR é calculada com base na média das taxas de juros dos CDBs (títulos emitidos pelos bancos) negociados no mercado, ajustado por um fator X. Na prática, quando a taxa de juros é muito baixa (taxa Selic abaixo de 8% ao ano), a TR tende a ser zero.

No caso dos financiamentos com indexação à TR ou ao IPCA, temos um indexador acrescentado de uma taxa de juros prefixada. Portanto, a escolha entre um ou outro indexador vai depender de uma avaliação da futura performance desses indexadores. E a eventual escolha por uma taxa prefixada também vai depender dessa avaliação. Como fazer isso?

Na verdade, quem melhor sabe fazer esse tipo de avaliação são os próprios bancos. Quando eles oferecem as três taxas, suas equipes de análise avaliam os cenários futuros e suas probabilidades e chegam a uma relação entre as três taxas que minimize o seu risco. Vamos a um exemplo para esclarecer.

Em setembro de 2020, um grande banco brasileiro oferecia em seu site as seguintes taxas de juros para financiamento imobiliário:

- TR + de 6,5% a 8,5% ao ano.
- IPCA + de 2,95% a 4,95% ao ano.
- De 8% a 9,75% ao ano prefixado.

Apenas como ilustração, vamos usar em nosso exemplo as taxas mais baixas dessa faixa. Podemos representar essas três taxas de juros na figura abaixo:

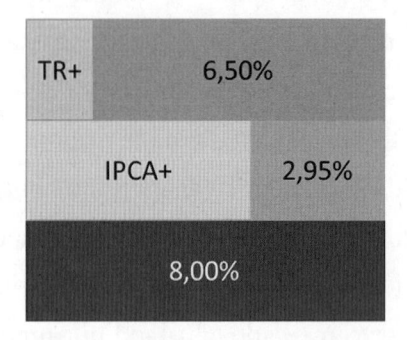

[Figura: TR+ 6,50% / IPCA+ 2,95% / 8,00%]

Note como as três taxas são equivalentes. Na verdade, não sabemos se, ao longo do tempo do financiamento, elas serão realmente iguais. Mas, se o banco está oferecendo essas três taxas de juros simultaneamente, seus estudos indicam que, com a informação disponível hoje, essas três taxas são equivalentes.

No entanto, uma dessas três taxas de juros efetivamente será mais vantajosa para você no final do seu período de financiamento. Só tem um problema: você só vai saber disso depois de ter acabado de pagar todas as parcelas. Então, como se diz, Inês já estará morta (desculpe-me se seu nome é Inês, mas o ditado é esse, fazer o quê?). Como, então, escolher?

Há basicamente dois critérios: sua visão sobre o futuro e o tamanho da parcela que cabe no seu bolso hoje.

Com relação à sua visão sobre o futuro, é fácil perceber que (as contas a seguir são aproximadas, apenas para fins ilustrativos):

- Se o IPCA for maior que TR + 3,55% ao ano (6,5% menos 2,95%) durante o período do financiamento, o financiamento em TR é melhor que o financiamento em IPCA. E vice-versa. Por exemplo, digamos que, no período do financiamento, o IPCA tenha sido de 4% ao ano, enquanto a TR foi zero. Então, o financiamento em IPCA terá custado 4% + 2,95% = 6,95% ao ano, enquanto o financiamento em TR terá custado zero + 6,5% = 6,5% ao ano. Ou seja, como o IPCA foi maior que TR + 3,55% ao ano (no caso, foi de TR + 4% ao ano), o financiamento em TR foi melhor.
- Se o IPCA for maior que 5,05% ao ano (8% menos 2,95%) durante o período do financiamento, terá sido melhor financiar na taxa prefixada. E vice-versa. Usando o mesmo exemplo anterior, com o IPCA a 4% ao ano, o financiamento em IPCA terá custado 4% + 2,95% = 6,95% ao ano, contra 8% ao ano da taxa prefixada. Como o IPCA foi menor que 5,05% nesse período, o financiamento foi melhor em IPCA.
- Por fim, se a TR for maior que 1,5% ao ano (8% menos 6,5%) durante o período do financiamento, terá sido melhor optar por um financiamento com taxa prefixada. Por exemplo, se a TR for 2% no período do financiamento, o custo terá sido de 8,5% (2%+ 6,5%), contra 8% da taxa prefixada, fazendo do financiamento com taxa prefixada uma opção melhor.

Ora, até aqui foi só matemática básica. O problema é avaliar qual será o IPCA ou a TR nos próximos 10, 20 ou até 30 anos! Se nem os bancos, que contam com departamentos inteiros só para estudar esses assuntos, sabem a resposta, quanto mais nós, pobres mortais. Por isso, o melhor a fazer é assumir a nossa ignorância e optar, se possível, pela segurança.

E, no caso, a segurança é a taxa prefixada, pois já sabemos com certeza qual será o tamanho da prestação ao longo do tempo.

O problema é que a segurança custa. E pode custar muito!

Vejamos na prática. Digamos que, no exemplo acima, estejamos decidindo sobre um financiamento de R$ 500.000 durante um prazo de 15 anos (180 meses). As prestações iniciais em cada uma dessas modalidades, usando a modalidade Tabela Price, seriam as seguintes (números aproximados):[4]

- TR + 6,5%: R$ 4.300
- IPCA + 2,95%: R$ 3.400
- Prefixado (8%): R$ 4.700

A diferença entre essas prestações iniciais é dada pela diferença das taxas de juros: a parcela da TR é calculada com uma taxa de 6,5% ao ano, a parcela do IPCA é calculada com uma taxa de 2,95% ao ano, e a parcela prefixada é calculada com uma taxa de 8% ao ano. Quanto maior a taxa de juros, maior será o tamanho da parcela.

Em compensação, as parcelas vinculadas à TR e ao IPCA serão ajustadas ao longo do tempo pela variação desses dois índices. Então, em algum momento, elas ultrapassarão o valor da parcela prefixada. Resta saber se demora ou não para ultrapassar e em qual montante isso vai acontecer. É essa incerteza que faz com que a taxa prefixada seja a opção pela segurança: você sabe qual será o tamanho da parcela do início ao fim do financiamento.

No gráfico a seguir, mostramos a taxa prefixada contra a taxa em IPCA em três cenários: IPCA igual a 3%, 5% e 8% ao ano, na média, ao longo do período de financiamento.

---

4 Estas prestações foram calculadas usando-se a função do Excel PGTO(taxa;180;500.000), onde "taxa" é a taxa de juros de cada modalidade de financiamento.

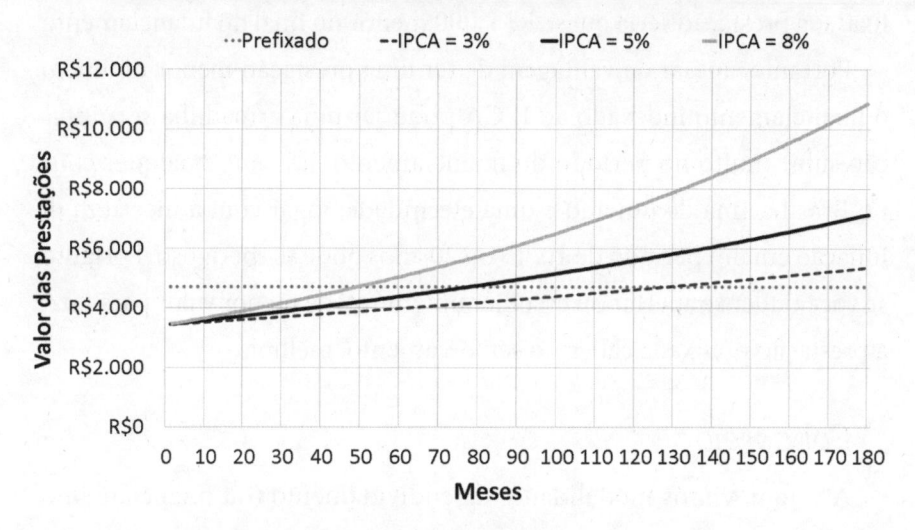

Valor das prestações ao longo do prazo de financiamento

[Gráfico: Valor das Prestações (R$0 a R$12.000) vs Meses (0 a 180), com quatro curvas: Prefixado, IPCA = 3%, IPCA = 5%, IPCA = 8%]

Observe como a prestação prefixada é estável ao longo de todo o período, enquanto as prestações na modalidade IPCA vão subindo conforme passa o tempo. Como era de esperar, quanto maior o IPCA, maior a velocidade de subida das prestações.

No primeiro caso, quando o IPCA é igual a 3% ao ano, a prestação sobe mais lentamente, só alcançando o valor da prestação prefixada no mês 130. O total pago, nesse caso, será menor que o total pago na modalidade prefixada: R$ 778.000 contra R$ 845.000, respectivamente.

Já no segundo caso, quando o IPCA é igual a 5% ao ano, número ligeiramente inferior à diferença entre a taxa prefixada e a taxa do financiamento em IPCA (5,05% = 8% - 2,95%), o valor da prestação em IPCA ultrapassa o valor da prestação prefixada no mês 80. O valor total do financiamento, nesse caso, é de R$ 912.000, superior aos R$ 845.000 do financiamento prefixado. Isso acontece porque, como a prestação inicial é menor, o total amortizado pela Tabela Price é menor, fazendo com que o total pago em juros seja maior.

Finalmente, no terceiro caso, observe como a prestação final é de quase R$ 11.000! Ok, provavelmente a inflação mais alta também fará com que seu salário seja maior lá no futuro. Mas, se você tivesse contratado uma taxa fixa, sua prestação seria quase R$ 7.000 menor no final do financiamento.

Portanto, apesar da vantagem de ter uma prestação menor no início, o financiamento indexado ao IPCA pode ser uma armadilha se a inflação subir muito no período do financiamento. E, como qualquer coisa no Brasil acima de um ano é uma eternidade, jogar com a incerteza da inflação em um período de 10, 15 ou 20 anos pode ser perigoso. Portanto, se você puder se apertar ou escolher um imóvel de menor valor para fazer a prestação prefixada caber no seu orçamento, melhor.

Consórcio

Até aqui, vimos modalidades de endividamento (ou financiamento, como preferir) que envolvem um agente financeiro que empresta o dinheiro. O consórcio, diferentemente, não envolve nenhum banco. Vamos entender seu funcionamento e seus riscos.

Certa vez, em meu blog de orientação financeira, caí na bobagem de escrever um artigo sobre consórcios, apontando suas vantagens, mas também os seus riscos. Foi, de longe, o post mais criticado do blog. Uma avalanche de vendedores de consórcios colocou comentários sobre minha ignorância a respeito do produto, de como ele era vantajoso, seguro, lindo, maravilhoso e uma longa lista de *et cetera*. Portanto, começo esta seção avisando: se você é vendedor de consórcio, o que vai a seguir não é uma crítica ao produto. Pelo contrário, reconheço várias vantagens. Mas, como qualquer produto financeiro em que se coloca dinheiro, existem riscos. E vou apontá-los aqui também.

Para começo de conversa, o consórcio é um produto financeiro híbrido: é ao mesmo tempo um produto de investimento e de financiamento. Está aqui no Capítulo 3, sobre dívidas, mas poderia estar no Capítulo 4, sobre investimentos. Resolvi abordá-lo aqui porque, na maioria das vezes, quem se vale do consórcio está buscando um tipo de financiamento mais barato que o financiamento bancário.

Como sabemos, no consórcio você compra uma carta de crédito a prazo e pode ter acesso a esse crédito através de sorteio ou de lance. Podemos observar na figura abaixo que, antes de você ter acesso à carta de crédito, o consórcio funciona como um investimento. No momento em que você é sorteado ou compra a carta de crédito através de um lance, o produto se torna um financiamento, pois é a partir desse ponto que você recebe o crédito. Como a imensa maioria das pessoas que opta por um consórcio o faz para ter o produto quanto antes, preferi classificá-lo como um modo de financiamento.

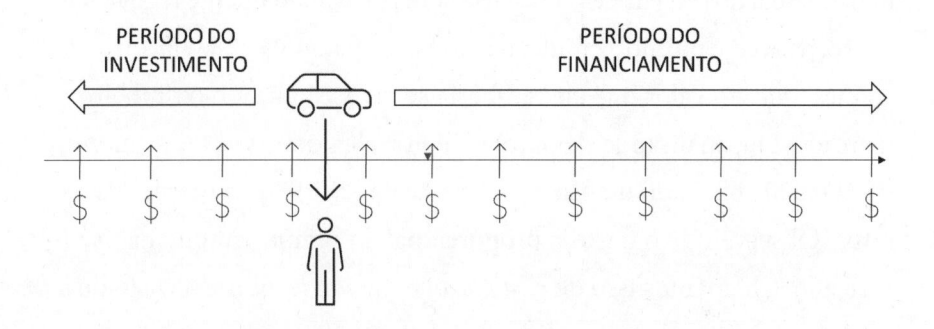

O consórcio para adquirir bens é uma modalidade de financiamento que atrai: sem juros e com muito mais facilidade de obtenção do crédito. No entanto, como dizia Milton Friedman, não existe almoço de graça! O risco do produto está justamente na primeira fase, a do investimento. Antes de abordar esse risco, vamos entender um pouco mais o produto.

Vejamos um exemplo concreto. Digamos que você queira se inscrever em um grupo de consórcio para comprar um imóvel formado por 200 participantes, com o objetivo de obter um crédito no valor de R$ 500.000 para pagar em 200 meses. Se você fosse amigo de todos esses participantes, poderia reunir todos em um grupo de WhatsApp e combinar assim: todo mês, cada um aporta R$ 2.500 e se sorteia de quem serão os R$ 500.000 arrecadados (R$ 2.500 por participante multiplicados por 200 participantes). Portanto, o sorteado de cada mês leva para casa os R$ 500.000.

Fica fácil observar que se trata de um financiamento tanto mais barato quanto antes se for sorteado. O primeiro felizardo levará R$ 500.000 e pagará R$ 2.500 por mês pelos 199 meses restantes. Taxa de juros zero. O segundo sorteado, por sua vez, já terá pago R$ 2.500, dinheiro este que poderia ter sido destinado a uma aplicação no mercado financeiro. Como não foi, ficou sem rendimento.

Vamos analisar o último sorteado. Em vez de entrar nesse grupo de amigos, ele poderia ter investido mensalmente seu dinheiro em uma aplicação financeira conservadora. Se a taxa de juros fosse, por exemplo, de 0,25% ao mês, no final dos 200 meses ele estaria com aproximadamente R$ 648.000.[5] Então, para esse último azarado, o consórcio custou R$ 148.000, ou 0,25% ao mês, que é o valor que ele receberia se tivesse aplicado o dinheiro no mercado. Ou, analisando de outra maneira, ele poderia obter os mesmos R$ 500.000 aplicando mensalmente cerca de R$ 1.930 na mesma taxa de juros. Observe que o custo é proporcional ao tempo em que não se foi sorteado. Chamamos isso de *custo de oportunidade*, pois é o custo de ter perdido a oportunidade de aplicar o dinheiro no mercado financeiro. Uma forma de diminuir esse custo de oportunidade é dar lances para tentar adiantar a contemplação, de modo a não sobrar para o final. De qualquer modo, trata-se de um custo muito baixo, pois as aplicações conservadoras no mercado financeiro costumam render muito menos que as taxas de juros cobradas em financiamentos. Mas há outros custos.

O principal deles é a *taxa de administração* do consórcio. Como os grupos, na vida real, não são formados por amigos como em nosso primeiro exemplo, é necessário haver uma empresa que organize a festa. Essa taxa de administração serve para pagar os serviços da empresa, e é o maior custo do consórcio. Por isso, é importante saber qual é o tamanho da taxa de administração.

---

5   Este valor foi calculado usando-se a função do Excel VF(0,25%;200;2.500).

Digamos, em nosso exemplo, que a taxa de administração seja de 20% ao longo de toda a vida do consórcio. No caso, 200 meses. Então, a taxa de administração será de 0,1% ao mês (20% divididos por 200 parcelas), ou 0,1% x R$ 500.000 = R$ 500 a mais na mensalidade. O valor total da taxa de administração cobrada será, portanto, de 20% x R$ 500.000 = R$ 100.000.

Outra taxa cobrada nos consórcios é o chamado *fundo de reserva*. Este fundo tem como objetivo cobrir alguma eventual inadimplência ao longo da vida do consórcio. Normalmente é algo em torno de 2% do valor do bem. Então, em nosso caso, cada mensalidade seria acrescida de 0,01% (2% divididos por 200) x R$ 500.000 = R$ 50. Voltaremos a essa questão do fundo de reserva mais à frente.

Outra taxa que pode ser cobrada são os *seguros*. Assim como o fundo de reserva, os seguros servem como uma proteção contra inadimplência. Neste caso, inadimplência decorrente de causas específicas, como óbito ou desemprego do consorciado. O fundo de reserva, por outro lado, pode ser acessado quando o consorciado não paga a sua parcela por qualquer motivo não identificado. Digamos, para o nosso exemplo, que os seguros também custem 2% do valor do bem. Então acrescentaríamos mais R$ 50 ao valor da parcela.

Temos, então, 200 parcelas de R$ 2.500 + R$ 500 + R$ 50 + R$ 50 = R$ 3.100. Isso equivale a uma taxa de juros de 0,22%[6] ao mês ou 2,7% ao ano.[7] Considerando também o custo de oportunidade de 0,25% ao mês,

---

6 Alguns podem estar se perguntando como uma taxa de administração de 0,10% ao mês, acrescida de taxa de reserva e seguros de 0,02% (total: 0,12%), se transformou em uma taxa de juros de 0,22% ao mês. Simples: quando calculamos a taxa de juros de um financiamento, consideramos que o financiamento vai sendo amortizado ao longo do tempo. Assim, o saldo devedor sobre o qual incide a taxa de juros vai diminuindo com o tempo. Vimos isso na seção sobre financiamento imobiliário. No consórcio, isso não acontece: o 0,12% é aplicado sobre o saldo total do financiamento do início ao fim, não há amortização. Por isso a taxa de 0,12% do consórcio equivale a 0,22% de um financiamento normal.

7 Essa taxa foi calculada com base na função do Excel TAXA(200;3.100;500.000).

temos um custo que pode chegar a 2,95% para o último sorteado. Esse é um exemplo real, selecionado em um site de uma grande administradora nacional de consórcios. Como isso se compara com um financiamento bancário?

O exemplo que apresentamos na seção sobre financiamento imobiliário era muito semelhante. A única diferença era o prazo, 180 meses, contra 200 meses do consórcio. Mas são exemplos comparáveis.

Vimos que um grande banco ofereceu as seguintes taxas de juros para este financiamento:

- TR + 6,5% a 8,5%
- IPCA + 2,95% a 4,95%
- Prefixado 8% a 9,75%

Devemos comparar a taxa de juros embutida no consórcio com a taxa de juros indexada ao IPCA. Por quê? Porque os aportes do consórcio e o valor da carta de crédito são também reajustados pela inflação. No caso do financiamento de imóveis, pelo Índice Nacional da Construção Civil (INCC). Sendo assim, a taxa calculada incidirá sempre sobre o valor reajustado, a exemplo do que acontece no financiamento imobiliário.

Observe então que a taxa de juros embutida em um consórcio típico é um pouco menor do que a menor taxa cobrada pelos bancos para conceder um crédito imobiliário. E é bem menor (quase metade) do que a taxa máxima. Ou seja, de fato, o consórcio tem um custo menor para quem está tomando o financiamento. Mas, como dissemos no início, não existe almoço grátis. Então, esse custo menor vem acompanhado de alguns riscos.

O primeiro e mais óbvio é que não há garantia de que se vá usufruir do bem logo, como em um financiamento. Depende de sua sorte ou do tamanho do lance, o que significa um desembolso de dinheiro que descaracteriza a ideia de financiamento. O lado positivo desse problema (sempre há um lado positivo!) é a disciplina financeira que um consórcio fomenta, ao "obrigar" a poupança durante certo tempo, até que a sorte sorria e você finalmente possa colocar a mão no seu objeto de desejo.

Mas o principal risco, sem dúvida, é o risco de crédito durante a fase do investimento (pré-contemplação). No caso de um financiamento bancário, o risco de crédito pertence inteiramente à instituição financeira. É ela que corre o risco de você não pagar. Já no caso de um consórcio, o risco de crédito é do grupo. Ou seja, é seu. Você assume o risco de crédito de todos os outros participantes do seu grupo. Na prática, toda vez que você paga uma parcela do seu consórcio, você está emprestando o seu dinheiro para que outro participante do grupo compre um bem. Para que tudo corra sem percalços, é preciso que todos os participantes continuem pagando as suas parcelas em dia, mesmo que já tenham obtido o seu bem.

O fundo de reserva é constituído justamente para cobrir certo nível de inadimplência. Digamos que o fundo de reserva seja de 2%. Isso significa que, se menos de 2% das parcelas não forem pagas, você não precisa ficar preocupado. Agora, se a inadimplência surpreender e for maior do que o fundo de reserva, você provavelmente será chamado a aportar mais recursos para fechar a conta. É a isso que chamamos de *risco de crédito*. As pessoas, em geral, não gostam de pagar o fundo de reserva. Encaram-no como um custo extra. Mas, quanto menor for o fundo de reserva, maior a chance de uma surpresa desagradável.

O consórcio muitas vezes é encarado como um financiamento. As empresas de consórcio são vistas como uma espécie de banco, sendo inclusive fiscalizadas pelo Banco Central. Mas não são. As empresas de consórcio são meras administradoras de grupos de pessoas desconhecidas entre si que se concedem crédito mutuamente. Se o país entrar em uma recessão e as pessoas começarem a perder os seus empregos, é possível que você tenha dor de cabeça com o seu consórcio. No caso do financiamento bancário, quem tem a dor de cabeça é o banco.

Então, podemos resumir as diferenças entre o financiamento bancário e o consórcio na tabela a seguir:

	Financiamento	Consórcio
Custo	Maior	Menor
Acesso ao bem	Imediato	Depende da sorte ou de ter poupança para dar lance
Risco	Não existe	Inadimplência do grupo superar o fundo de reserva e seguros

O consórcio não é nem melhor nem pior do que um financiamento bancário. É uma opção diferente, com vantagens e desvantagens. A escolha do consórcio como meio de financiamento pode ser interessante, desde que você entenda corretamente os riscos que está correndo.

CAPÍTULO 4
Como investir

> Se você chegou até aqui, parabéns! Isso significa que conseguiu fazer um orçamento, safou-se das dívidas e, agora, consegue ter alguma sobra de caixa para fazer investimentos. Não? Você não está fazendo um orçamento e ainda tem dívidas? Então volte duas casas, seu lugar não é aqui.

Começando do começo

Vou começar falando algo óbvio: para investir, primeiro você precisa poupar. Não seja aquela pessoa que está endividada até o pescoço, mas nem por isso deixa de fazer a sua fezinha na bolsa. Este é o caminho certo para o desastre. Investimento é aquilo que fazemos com o dinheiro que *sobra* do nosso orçamento.

O problema, então, passa a ser como fazer sobrar dinheiro do orçamento. Muitos têm dificuldade com isso. Afinal, o mês é mais longo que o salário em grande parte dos lares brasileiros. Como fazer, então?

O segredo é inverter a equação. Não se trata de investir o dinheiro que sobra depois de todos os gastos. Trata-se de separar o dinheiro do investimento *antes* de fazer todos os outros gastos.

Como vimos no primeiro capítulo deste livro, a confecção de um orçamento é um exercício de prioridades. As primeiras coisas em primeiro lugar. Se você quer se tornar investidor (e tenho certeza de que quer), deve separar uma parte do seu orçamento para isso e viver com o restante.

Há muito tempo separo 10% de tudo o que eu ganho para investir. Mas nem sempre foi assim. No início de minha vida profissional, eu não ligava muito para isso. Nenhum jovem liga. Ganhamos pouco, e, no meu caso, eu já tinha uma família para sustentar. Não é fácil poupar, eu sei. Comecei a desenvolver esse hábito quando a empresa onde eu trabalhava instituiu um fundo de pensão. O fundo de pensão nada mais é do que uma poupança forçada para a aposentadoria. Nas empresas que oferecem esse benefício, você colabora com um pouco do seu salário enquanto a empresa contribui com a parte dela para a sua poupança. É um esquema interessante, porque a sua contribuição nem entra na sua conta-corrente, ela é descontada direto do seu contracheque.

Qual foi o truque que usei para começar a poupar quase sem dor? Simples. Quando decidi que estava na hora de tomar vergonha na cara, esperei pelo próximo aumento de salário. Não a reposição da inflação, mas o aumento por mérito. Separei o montante que recebi como aumento (no caso, 10%) e continuei a viver como se não houvesse recebido aquele aumento. Foi uma vez só, mas o suficiente para acomodar o orçamento. Os próximos aumentos foram devidamente usufruídos, mas sempre separando 10% para investimento.

Essa poupança, constante e perseverante, é a parte mais importante do patrimônio construído ao longo da vida de um pobre mortal que não se torna bilionário com uma startup de sucesso. Vejamos um exemplo.

Imagine que você tenha uma renda de R$ 5.000 mensais e consiga poupar 10% desse montante, ou R$ 500 por mês. Aplicando esse dinheiro poupado em investimentos que rendam 2% ao ano além da inflação durante 30 anos, você obtém o montante de R$ 245.632.

Digamos, agora, que você consiga investimentos que rendam 3% acima da inflação. O montante obtido com esse novo rendimento, ao final dos mesmos 30 anos, será de R$ 289.356.

Vamos agora supor que, em vez de procurar investimentos que rendam bastante, você opte por poupar um pouco mais: no lugar dos R$ 500 por mês, você consegue guardar R$ 590 mensalmente. Ou, em percentual do seu salário, 11,8% em vez de 10%. Esse montante, aplicado todo mês religiosamente em investimentos que rendem 2% ao ano, resultará na soma de R$ 289.683 ao final dos mesmos 30 anos.

Então, vamos resumir:

- R$ 500 por mês a 2% ao ano: R$ 245.632
- R$ 500 por mês a 3% ao ano: R$ 289.356
- R$ 590 por mês a 2% ao ano: R$ 289.683

Ou seja, você tem duas alternativas equivalentes para aumentar o resultado dos seus investimentos em 18% ao final de 30 anos: elevando o risco dos seus investimentos para obter 1% a mais de retorno anual ou ampliando a sua poupança em aproximadamente 2% a mais de sua renda.

Creia-me: é muito, mas muito mais difícil aumentar o seu rendimento de maneira consistente em 1% ao ano. É bem mais fácil fazer um esforço adicional de poupança, que, afinal, não é tão grande assim.

Quero mostrar com esse exemplo que o esforço de poupança é o principal quando se trata de investimentos. Lembre-se sempre disto: o mercado financeiro não vai fazer a lição de casa para você. Se você não poupar, não existirá investimento mágico que dê jeito.

Investir é uma coisa muito simples

Em 11 de julho de 2001, Michael Bloomberg, o bilionário proprietário de uma empresa de terminais de notícias e cotações para investidores profissionais, e então prefeito de Nova York, deu uma entrevista para a revista *Veja*, que foi publicada em suas páginas amarelas. Além de aspectos sobre sua gestão à frente da maior cidade norte-americana, Bloomberg falou também sobre sua empresa e seus investimentos. É esta última parte que nos interessa aqui. Vou reproduzir a seguir o trecho final da entrevista:

Veja — Que conselhos o senhor daria ao pequeno investidor brasileiro?

Bloomberg — *Acho que ele deveria todo mês separar 8% de sua renda e aplicar em ações através do mercado de fundos mútuos, e ponto-final. Ele tem simplesmente de se esquecer do resto e voltar a se concentrar em seu trabalho. Não deve nem mesmo ver o sobe e desce das ações no jornal, já que nunca poderá ganhar o suficiente no mercado de ações para se aposentar de um dia para o outro. Ele não é esperto o bastante — e tampouco eu — para ganhar dinheiro com o pregão.*

Veja — Quer dizer que Michael Bloomberg não é esperto o bastante para ganhar dinheiro na bolsa?

Bloomberg — *Não sou mesmo. E acho que quase ninguém sabe ao certo como ganhar dinheiro com isso. Ora, é para isso mesmo que os fundos mútuos existem: diversificar seu investimento e proporcionar-lhe uma gerência profissional. Nunca entendi por que as pessoas perdem o tempo delas conferindo as cotações de seus investimentos todos os dias. Isso é uma perda de tempo enorme! Se eu fosse elas, me limitaria a trabalhar.*

Bem, estas são palavras de alguém que fez fortuna vendendo sistemas de informação para investidores profissionais. Deve ter algum conhecimento de causa.

Investir é uma coisa muito simples. Se parece complicado, é porque você não está investindo direito. E não digo isso por ter experiência profissional com investimentos e estar familiarizado com a maior parte deles. Warren Buffett, um investidor muito bem-sucedido e um dos homens mais ricos do mundo, sempre diz que nunca coloca o seu dinheiro em negócios que ele não consegue entender. Ou seja, o investidor mais rico do mundo não consegue entender tudo. Por que você deveria?

Isso não significa, obviamente, que você deveria se contentar somente com a caderneta de poupança, talvez o investimento mais simples disponível no mercado brasileiro. Estudar um pouco sobre outros tipos de investimento será muito útil. Mas lembre sempre: se você não conseguiu entender como se ganha ou se perde dinheiro com aquilo, melhor não arriscar.

Certa vez, comprei uma apólice de seguro de vida de uma empresa americana. Mas não era uma apólice comum: junto vinha uma opção sobre a valorização da bolsa americana. Se a bolsa subisse, o patrimônio segurado aumentava. Como eu tinha um palpite sobre o desempenho da bolsa, comprei a tal apólice com a opção. De fato a bolsa subiu, mas por algum motivo o meu patrimônio segurado não aumentou na proporção que eu havia imaginado. O corretor que me vendeu a apólice tentou me explicar de todas as formas por que aquilo havia acontecido, mas, por mais que se esforçasse, eu não conseguia entender. E lembre que não sou um leigo. Resultado: abandonei o investimento, mesmo já tendo algum dinheiro investido que eu perderia. Pensei comigo: se eu não consigo entender algo com que estou familiarizado, imagine todas as outras letras miúdas do contrato, que costumam ficar gigantes quando realmente se precisa delas.

Mantenha-se no básico, tenha em mente seus objetivos, seja disciplinado e não se preocupe em demasia. Esta é a minha receita para investir bem.

Depois de algumas décadas trabalhando no mercado de investimentos, tendo a concordar com Bloomberg. São poucos, muito poucos, pouquíssimos até, os que conseguem fazer fortuna no mercado financeiro. Comparo com o futebol. Todos jogam. Alguns chegam até a ser jogadores profissionais. Mas são poucos, pouquíssimos mesmo, os que conseguem fazer fortuna chutando uma bola.

Sabendo de minha experiência com investimentos, em festas de família ou reuniões com amigos é comum, e até esperado, que alguém se aproxime e faça a pergunta fatídica: "E aí, qual é a dica quente?". E, por dica quente, entende-se o investimento da vez, aquele que vai deixar o investidor um degrau mais próximo da felicidade. Ao que invariavelmente respondo com uma historinha que um ex-colega de trabalho meu sempre contava para os seus clientes investidores.

Um homem entra na farmácia e pede para o balconista: "Por favor, poderia me ver o melhor remédio?". O balconista, compreensivelmente, fica sem entender o que acabou de ouvir. "Senhor, poderia me passar a receita?", volta o balconista. Mas o homem não se dá por vencido e repete: "Não tenho receita. Eu só quero o melhor remédio que você tiver". O balconista, atônito, responde, no intuito de ajudar: "Mas senhor, não estou entendendo, o que o senhor está sentindo?". "Não interessa o que estou sentindo, eu só quero o melhor remédio da farmácia", responde o homem, já visivelmente irritado. "Lamento, senhor, mas continuo não entendendo." O homem, então, sai furioso da farmácia, prometendo ir ao concorrente.

Se esse diálogo é *nonsense* para você, o mesmo ocorre com aquele que pergunta pelo "melhor investimento". Não existe "melhor investimento". Existe o investimento correto para você e suas circunstâncias. É sobre isso que vamos falar a seguir.

Conhece-te a ti mesmo

Os juros vão subir ou cair? E a bolsa? Investir em dólar não seria uma boa opção? Talvez seja a hora de aplicar em imóveis...

Essas e outras questões rondam a nossa mente quando estamos decidindo sobre onde investir o nosso rico dinheirinho. Mas será que elas têm resposta? Será que alguém realmente consegue dizer para onde vão os diversos mercados?

Costumamos dizer que o futuro a Deus pertence. Para os matemáticos, o futuro é aleatório. No mercado, dizemos que o futuro é incerto. Por isso, qualquer tentativa de prevê-lo é vã. Os únicos profissionais que ganham dinheiro prevendo o futuro são os cartomantes.

Quem sou eu? De onde vim? Para onde vou? Foi fazendo esse tipo de pergunta que consegui gerar boas decisões de investimentos. Isso significa que fiquei rico investindo? Não. Significa apenas que consegui atingir os meus objetivos. E, entre eles, não estava "ficar rico". Para isso, precisaria ter um talento especial, e acho que não tenho. Mas, como eu disse antes, não é preciso ter um talento especial para investir bem. O segredo para ter sucesso no mundo dos investimentos é mudar o foco das atenções: do mercado para você mesmo. Nem você nem ninguém conseguem adivinhar para onde caminham os mercados. Mas você sabe, ou deveria saber, para onde gostaria de ir.

Existem duas perguntas que me faço toda vez que vou definir um investimento:

1) Qual é o meu objetivo com aquele investimento?
2) Quanto de perda estou disposto a aceitar no curto prazo?

Antes de entrar no detalhe de cada uma dessas perguntas, vai aqui uma advertência: para aqueles que querem investir buscando a "adrenalina" das negociações rápidas, dos *day-trades*, das grandes apostas, com o objetivo de enriquecer no mercado, essas perguntas são inúteis. Para esses, basta o gosto do jogo e a perspectiva de ficar rico. Essas perguntas são úteis somente para aqueles que não vivem para os investimentos, aqueles para os quais os investimentos são encarados como um meio de acumular dinheiro de uma maneira mais ou menos organizada ao longo da vida. Ou seja, gente normal, como eu, você e o Michael Bloomberg, como vimos na entrevista que abriu este capítulo.

Eu, particularmente, olho meus investimentos uma vez por mês, e de vez em quando nem isso. Tenho um Plano de Investimento, gerado pelas duas perguntas acima, e o sigo com alguma fidelidade. E é o que basta, acredite.

Qual é o seu objetivo de investimento?

Li a seguinte história em outro contexto, mas que serve para o que queremos ilustrar no momento. Conta-se de um recruta que nunca havia montado um cavalo. Ao chegar ao quartel, a primeira tarefa que o sargento lhe deu foi a de levar uma encomenda até uma cidade vizinha. Ao perguntar como iria, o recruta recebeu a resposta óbvia: a cavalo, ora! Não tendo coragem de admitir que nunca montara nem sequer um cavalo de pau, o recruta enfrentou a situação como pôde. Montou o cavalo desajeitadamente e começou a esporeá-lo para que iniciasse a cavalgada. E nada. Tentou mais uma vez. Sem sucesso. Na terceira vez, o cavalo saiu em disparada... para o lado errado! Por mais que o recruta tentasse, não conseguia fazer o animal parar e retornar. De repente, o cavalo parou próximo a um tufo de grama e começou a fazer o seu lanche tranquilamente. Em seguida, de maneira autônoma, começou a trotar descontraidamente, de lá para cá.

Um soldado, vendo o recruta em apuros, perguntou: "Para onde você está indo?". O recruta então respondeu: "Eu estava indo para a cidade vizinha. O que eu não sei é para onde este cavalo está me levando!".

Quantos de nós, ao lidar com investimentos, agimos como esse recruta? Estamos montados em um cavalo que está nos levando sabe-se lá para onde! E isso acontece porque não temos metas claras para os nossos investimentos. Essa meta deve ser estabelecida *a priori* e deve estar ligada a algum desejo de consumo.

Poupar por poupar não faz o mínimo sentido. Poupar é adiar o consumo. Só renunciamos ao consumo hoje para poder consumir amanhã. Se não temos nada em mente com que gastar amanhã, então vamos consumir hoje! Caixão não tem gaveta, diz o velho ditado, portanto acumular por acumular não faz sentido.

Podemos classificar os objetivos de investimento nas seguintes três categorias:

- **Reserva de emergência**: o dinheiro de curto prazo.
- **Objetivo de consumo específico**: o dinheiro de médio prazo.
- **Aposentadoria ou independência financeira**: o dinheiro de longo prazo.

O objetivo de *aposentadoria* (ou *independência financeira*) é tão importante que separei o Capítulo 5 especificamente sobre isso. Os dois primeiros, veremos a seguir.

Reserva de emergência ou "seguro morreu de velho"

A *reserva de emergência* refere-se ao dinheiro que você necessita ter à mão para suas necessidades de curto prazo. Esse dinheiro deve ser separado de todos os seus outros investimentos.

O economista John Maynard Keynes dizia que a liquidez é a medida da nossa inquietação. Liquidez é esse dinheiro que, quando precisarmos, estará lá. Precisamos ter dinheiro vivo, ou em aplicações facilmente resgatáveis, para nos sentirmos seguros. E mais do que isso: não basta que as aplicações sejam facilmente resgatáveis, mas que a rentabilidade seja o mais previsível possível. Ou seja, quando você for pegar, o dinheiro tem que estar lá! Não pode ter desaparecido no turbilhão da última crise. Por isso, a reserva de emergência deve ser aplicada em investimentos conservadores, por menor que seja a sua rentabilidade. Este não é o dinheiro para crescer, é o dinheiro para ser preservado.

São duas as situações em que normalmente precisamos de uma reserva de emergência: para cobrir gastos inesperados e para o caso de as receitas correntes faltarem. Se o nosso orçamento estiver equilibrado, as despesas serão normalmente cobertas pelas receitas correntes. Mas se, por algum motivo, estas faltarem, precisaremos lançar mão da reserva de emergência.

Podemos pensar na reserva de emergência como um seguro. A rigor, a reserva de emergência seria dispensável se tivéssemos seguro para tudo. Os seguros existem justamente para nos cobrir de eventualidades que estão fora do nosso orçamento normal. Acidentes, doenças, desemprego, assaltos e sequestros, são todos eventos que não estão em nosso orçamento normal. Quando estabelecemos uma reserva de emergência, estamos, na verdade, comprando um seguro contra esses imprevistos.

Muitos acham que o dinheiro investido em seguros é um dinheiro jogado fora. Mas se tem uma coisa certa na vida é que teremos algo acontecendo não previsto em nosso orçamento normal. Os seguros servem justamente para isso. O que custa mais caro: comprar um seguro ou manter um dinheiro parado como reserva de emergência? Isso sem contar a eventualidade de ter que desembolsar uma quantia que não temos, o que leva muitos ao início de um ciclo de endividamento que se torna uma bola de neve.

Eu particularmente compro seguros de tudo o que posso: saúde, vida, roubo, incêndio. Só existe um tipo de seguro que não dá para comprar: o seguro-desemprego. Para empregados registrados, existem o seguro-desemprego patrocinado pelo governo e o FGTS. Para todos os outros (trabalhadores informais, empreendedores, profissionais liberais), é necessário comprar um "seguro-desemprego" através da constituição de uma reserva de emergência.

A reserva de emergência normalmente é a parte considerada mais chata do planejamento financeiro. Afinal, trata-se de um dinheiro que não vai "servir para nada", vai ficar ali, parado, sem ser utilizado para coisas realmente legais, como um iPhone ou uma viagem. Não é à toa que grande parte das pessoas não consegue formar uma. No entanto, um estudo[8] com 585 correntistas de bancos do Reino Unido mostrou um resultado surpreendente: a reserva é mais importante para determinar o nível de

---

8 RUBERTON, P. M., GLADSTONE, J., & LYUBOMIRSKY, S. (2016). How Your Bank Balance Buys Happiness: The Importance of "Cash on Hand" to Life Satisfaction. *Emotion*, vol. 16, n. 5, p. 575-580.

satisfação com a vida do que a renda. Ou seja, dinheiro pode não comprar a felicidade, mas pessoas que contam com uma reserva de emergência estão mais próximas desse objetivo do que as mais ricas. Isso acontece porque a paz de espírito proporcionada pela reserva é maior do que a satisfação pela compra de outros bens. Desse modo, encare a reserva de emergência como um bem a ser comprado: a sua tranquilidade. Assim, fica mais fácil encarar o desafio.

Quanto de reserva de emergência deve-se prever? Uma regrinha que pode ser útil é manter em liquidez o equivalente a 6 meses de seus gastos mensais. Como dissemos acima, se você é um empregado registrado e conta com esse montante no FGTS ou no seguro-desemprego, não precisa se preocupar em ter uma reserva para a eventualidade de ficar desempregado. Caso contrário, este é o montante que deveria ser separado.

Mesmo para aqueles que têm seguro para tudo e são empregados registrados, é útil separar pelo menos um mês de despesas, pois o acionamento do seguro pode levar algum tempo, o que poderá exigir o desembolso de algum montante antes do seu recebimento.

Uma vez definida a reserva de emergência, o restante pode ser usado para investimentos de mais longo prazo e mais arriscados. A regra de ouro aqui é: não comece a fazer outros investimentos enquanto não tiver uma reserva de emergência em liquidez.

O objetivo específico de consumo ou "o que você quer comprar?"

Normalmente, o que compramos cabe em nosso orçamento mensal. Mesmo gastos maiores, como educação, costumam ser divididos em parcelas mensais, de modo que caibam em nosso orçamento. No entanto, existem objetos de consumo que ultrapassam a nossa capacidade de gasto mensal. Há, então, duas alternativas: financiamento ou poupança. Na primeira, a taxa de juros estará trabalhando contra você, enquanto na segunda, a seu favor. O que você prefere?

Vamos ver um exemplo.

Digamos que você queira comprar um carro no valor de R$ 60.000. A taxa de juros para investimentos é de 0,5% ao mês, enquanto, para empréstimos, é de 1,5% ao mês. Essa diferença pode ser até maior; não se deixe enganar por ofertas como "taxa de juros zero", pois normalmente exigem uma boa entrada e são baseadas no preço "cheio" do carro. Se você comprar à vista, provavelmente conseguirá um bom desconto. Digamos também que você queira comprar o carro em 4 anos, seja poupando ou financiando durante esse período.

O resultado é o seguinte: para financiar o carro, você pagará 48 parcelas de R$ 1.762,50. Se, por outro lado, você conseguir poupar durante 4 anos, o valor necessário para esta poupança será de R$ 1.348,12.[9] São mais de R$ 400 de economia por mês. Ao final de 4 anos, você terá economizado quase R$ 20.000!

Sim, vale a pena se programar para comprar coisas que não cabem no seu orçamento. Não se trata de adiar a sua necessidade por 4 anos, mas de programar-se para a compra do seu próximo carro. Quando você compra um, já começa a guardar dinheiro para o próximo. Claro, é mais fácil falar do que fazer. Afinal, quando você tomar a decisão de poupar para comprar o próximo automóvel, provavelmente ainda estará pagando as parcelas do financiamento que assumiu para comprar o seu carro atual. Além do financiamento, teria que também poupar o dinheiro para o próximo carro. Ou adiar a troca do carro.

Sim, é isso mesmo, sempre haverá sacrifícios que exigirão renúncias. Lembre que você estará economizando muito quando puder comprar o seu carro à vista. Se ficar muito pesado, pode-se pensar em economizar pelo menos metade do valor. Alguma coisa sempre ajuda, é melhor do que nada.

---

9 Considerei aqui que o carro fica mais caro 5% ao ano. Ou seja, daqui a 4 anos este mesmo carro estará valendo R$ 72.930,37. É sobre esse montante que calculei o valor da parcela mensal.

O mesmo raciocínio vale para qualquer outro bem ou serviço. Viagem é outro exemplo comum. Quer coisa mais desagradável do que viajar e depois ficar pagando a viagem durante 10 meses? Muito mais prazeroso é fazer a poupança para a viagem e depois curti-la como o coroamento por um sacrifício. Sem contar, claro, que a viagem sai muito mais em conta, como vimos.

É importante ter em mente que, quanto mais curto for o prazo para atingir o objetivo, menor deverá ser o risco do investimento. Na verdade, prazos menores que um ano deveriam ser classificados como liquidez, independentemente de qualquer outra consideração. Ou seja, quando faltar um ano para atingir o seu objetivo, você deveria mover seus investimentos para algo mais conservador, de modo a preservar o montante já poupado. Não faça como a colega de trabalho de um amigo meu, que aplicou na bolsa a poupança que tinha para dar de entrada em um apartamento, esperando multiplicar o dinheiro. A história é muito triste.

O ano era 2008, e a bolsa começou o ano bombando, tendo atingido o seu máximo valor em maio, pouco depois de o Brasil ter conquistado o seu tão sonhado grau de investimento. Ninguém segurava o país, e os investidores invadiam a bolsa em busca do pote de ouro no final do arco-íris. Foi o que fez também a colega de trabalho de um amigo meu. Tendo se planejado para dar entrada em um apartamento, viu a oportunidade de cortar caminho e até, quem sabe, comprar o apartamento à vista! Afinal, todo mundo estava investindo na bolsa, que já havia subido quase 50% nos 12 meses anteriores.

Mas a crise internacional daquele ano foi cruel. A bolsa caiu quase 60% de maio até outubro, no pico da crise, quando esse amigo me ligou no escritório. O relato dele era pungente: a sua colega estava em prantos, porque havia já perdido metade do dinheiro destinado ao tão sonhado apartamento. Estava desesperada, e meu amigo me ligou para perguntar o que ela deveria fazer.

A minha resposta foi cruel: ela não deveria sequer ter entrado na bolsa. Afinal, se o plano era dar entrada no apartamento naquele ano, *o que ela estava fazendo na bolsa*? Ninguém consegue adivinhar a direção do mercado em um horizonte tão curto de tempo, como bem observou Michael Bloomberg no início deste capítulo.

Bem, agora que ela já estava dentro, tinha duas opções: resgatar e refazer os seus planos ou continuar e torcer para recuperar alguma coisa (eu até achava que estávamos no pior da crise e que, em um prazo de um ano, estaríamos em posição melhor, mas era um palpite, que poderia estar certo ou não). A bolsa foi recuperar o nível de maio de 2008 somente no final de 2009. Ou seja, de qualquer maneira, a triste colega do meu amigo teria que adiar os seus planos ou mudá-los completamente.

Conto sempre essa história, que é mais comum do que se imagina, para ilustrar este ponto: nunca aplique em investimentos arriscados o dinheiro que você planeja usar no curto prazo. Parece óbvio, mas o jogador que mora dentro de cada um de nós sempre nos fará pensar mais na recompensa do que no risco. E se estivermos em nosso dia de sorte?

Como diz o provérbio, "espere pelo melhor, mas prepare-se para o pior". Se o seu dia for de sorte, muito bem, parabéns. E se não for? A isso chamamos de *risco*.

Qual a sua tolerância ao risco?

Quando comecei a trabalhar no mercado financeiro, via meus colegas de trabalho mais experientes comprando opções de ações. Se você acha que ações são arriscadas, é porque não conhece as opções! São cavalo chucro.

Pois bem, resolvi também arriscar. Afinal, tinha informação quente sobre as perspectivas das empresas e os movimentos dos mercados. Comprei opções de Vale e ganhei, no primeiro dia, o equivalente a 20% do meu salário mensal! Não que significasse grande coisa, afinal eu ganhava mal, mas para mim era muito dinheiro. Naquele dia, saí com minha esposa para jantar em um restaurante especial, para comemorar o sucesso do meu primeiro dia de *trader*.

No dia seguinte, do alto de minha experiência de um dia como *trader*, comprei com muita confiança opções de Petrobras. Mas, ao contrário do dia anterior, as ações começaram a cair depois da minha operação. No final do dia, tomei a decisão que definiu o meu futuro como *trader*: resolvi não zerar a posição, levando para o dia seguinte. Naquela noite, não consegui conciliar o sono, pensando no prejuízo, no leite das crianças que iria faltar em casa por causa de minha irresponsabilidade, enfim, em todas essas coisas que assombram o estado de semiconsciência em que nos encontramos durante as horas em que não conseguimos pegar no sono.

Aquela noite insone me convenceu de que aquilo não era para mim. Para minha sorte, ainda consegui zerar a operação com um prejuízo mínimo. Estava encerrada, precocemente, minha carreira de *trader*. Admiro as pessoas que conseguem fazer isso com maestria e destemor, mas, antes de tudo, precisamos saber do que somos capazes e, principalmente, do que não somos capazes. Conhece-te a ti mesmo, lembra? Pois é, isso se refere também à sua tolerância ao risco.

Mas trago boas notícias: eu faço investimentos arriscados. E, se mesmo um camarada como eu, com baixíssima tolerância ao risco, pode aplicar em investimentos arriscados, você também pode! Qual o segredo?

O segredo é compatibilizar a sua tolerância a risco com o *horizonte do seu investimento*.

E, como vimos acima, o horizonte de investimento está diretamente relacionado com o seu objetivo de investimento. Relembrando:

- **Reserva de emergência**: o dinheiro de curto prazo.
- **Objetivo de consumo específico**: o dinheiro de médio prazo.
- **Aposentadoria ou independência financeira**: o dinheiro de longo prazo.

Antes de fazer essa compatibilização, vamos definir o que é a tolerância a risco. No mercado, é muito comum dividir os investidores entre conservadores, moderados e agressivos. Como medir isso?

A tolerância ao risco de qualquer investidor tem duas dimensões: a objetiva e a subjetiva. À tolerância objetiva de tomar risco, chamamos *capacidade* de tomar risco. À tolerância psicológica de tomar risco, chamamos de *vontade* de tomar risco, o popular "estômago". Pois bem: a tolerância ao risco é uma combinação dessas duas dimensões, capacidade e vontade. Vamos, então, falar de cada uma delas.

A capacidade para tomar risco é dada por algumas características objetivas do investidor, como:

- Patrimônio: quanto mais rico, maior a capacidade para tomar risco.
- Capacidade de poupança: quanto mais o indivíduo consegue poupar, maior a capacidade para tomar risco.
- Reservas: quanto maiores forem as reservas para emergência, maior a capacidade para tomar risco.
- Estabilidade de renda: quanto maior for a estabilidade da renda, maior a capacidade para tomar risco. Um funcionário público tem maior capacidade do que um microempresário.
- Idade: quanto mais novo, maior a capacidade para tomar risco.
- Experiência: quanto maior a experiência com investimentos, maior a capacidade para tomar risco.

A capacidade para tomar risco pode ser medida com um questionário simples, que procure medir as características acima descritas.

E a vontade de tomar risco? Bem, esta é um pouco mais complicada. Estamos falando de estômago, *guts*, sangue-frio. Uma pessoa que perde o sono por conta de uma operação, como é o meu caso, tem pouca vontade de tomar risco. Uma maneira de medir essa vontade é através da aplicação de questionários específicos. Veja o seguinte exemplo: você compra Siderúrgica Aços Moles, e a ação cai 20% dois dias depois. Você, então:

1. Sai correndo e promete nunca mais voltar para a bolsa.
2. Segura firme, pois tem confiança no seu taco.
3. Dobra a aposta, pois agora a ação está muito mais barata.

Se você escolheu a alternativa 1, então tem pouca vontade de tomar risco; alternativa 3, grande vontade; e alternativa 2, no meio do caminho. O problema desse tipo de questionário é que não passa disso, um questionário. Normalmente, as pessoas são muito mais valentes quando não existe dinheiro envolvido. É como pilotar avião em um videogame. O questionário pode ser útil para dar uma noção, mas o verdadeiro teste ocorre na vida real, quando de fato você perde dinheiro. É só então que você tem a real noção de sua vontade de tomar risco.

Vejamos os quatro perfis possíveis de tolerância ao risco, combinando capacidade com vontade de tomar risco:

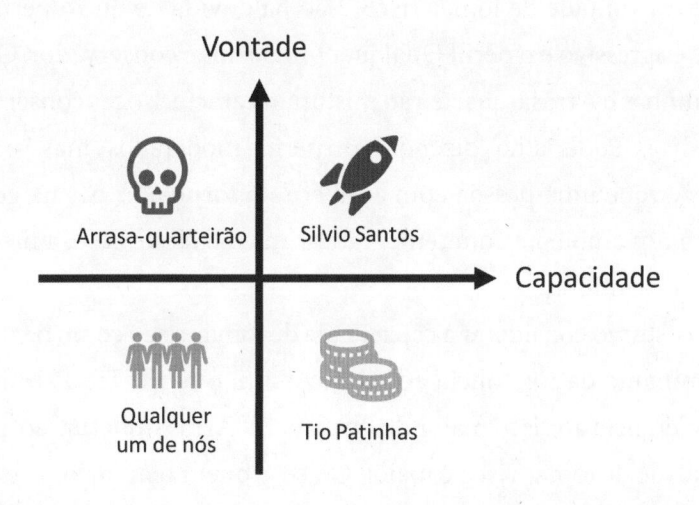

```
                    Vontade
                       ↑
              💀              🚀
        Arrasa-quarteirão   Silvio Santos
                       |
                       +─────────→ Capacidade
                       |
              👥👥            🪙
         Qualquer         Tio Patinhas
         um de nós
```

1. **Perfil Silvio Santos** (alta capacidade e alta vontade de tomar risco): o investidor com este perfil pode ir para o risco sem medo de ser feliz. Sua alta capacidade lhe permite perder dinheiro sem grandes traumas, e sua grande vontade o faz ter prazer nisso (não em perder dinheiro, claro, mas em arriscar-se).

2. **Perfil Tio Patinhas** (alta capacidade e baixa vontade de tomar risco): este perfil é caracterizado por ser muquirana. Apesar da alta capacidade, prefere manter seu dinheiro no cofrinho a alçar voos mais altos.
3. **Perfil Qualquer um de nós** (baixa capacidade e baixa vontade de tomar risco): este é o perfil mais comum. Não tendo capacidade para tomar risco, não se importa com isso, pois também não tem vontade para tal.
4. **Perfil Arrasa-quarteirão** (baixa capacidade e alta vontade de tomar risco): muito cuidado com este tipo! Normalmente, é aquele parente que sempre vem com alguma ideia mirabolante de um novo negócio e precisa de financiador. No caso, você. Fuja!

A tolerância ao risco, então, é medida pela combinação entre a capacidade e a vontade de tomar risco. Não há dúvida de que o perfil Silvio Santos é agressivo e o perfil Qualquer um de nós é conservador. Os perfis Tio Patinhas e Arrasa-quarteirão misturam características conservadoras e agressivas. Poderíamos dizer que são perfis "moderados", mas é o mesmo que dizer que uma pessoa com a cabeça no forno e os pés na geladeira está em um ambiente com temperatura amena. Neste caso, a média não faz muito sentido.

Eu costumo considerar a capacidade de tomar risco como o fator mais determinante da tolerância ao risco. Assim, o perfil Tio Patinhas tem uma tolerância ao risco maior do que o perfil Arrasa-quarteirão, pois sua capacidade de tomar risco é maior. Ou seja, quem tem maior capacidade de tomar risco deveria se arriscar mais, mesmo que seu estômago diga o contrário. E, por outro lado, quem tem capacidade menor de tomar risco deveria se arriscar menos, apesar de achar que pode tudo.

Uma vez medida a sua tolerância ao risco, é a hora de, finalmente, escolher o tipo de investimento que melhor combina com seu perfil. Este investimento pode ser tanto mais arriscado quanto maior for a sua tolerância ao risco e maior for o seu horizonte de investimento. A tabela a seguir pode ajudar a entender melhor esse conceito.

		Tolerância ao risco		
		Baixa	Média	Alta
Horizonte de investimento	Curto prazo	🧘	🧘	🧘
	Médio prazo	🧘	⚖️	☢️
	Longo prazo	⚖️	☢️	☢️

Observe, em primeiro lugar, que, se o seu horizonte de investimento for de curto prazo, o seu investimento deve ser conservador, *independentemente da sua tolerância ao risco*. Se existe a hipótese de você precisar do dinheiro no curto prazo, não importa que tolere perdas nos seus investimentos. O dinheiro precisa estar disponível quando você necessitar dele. Isso não tem nada a ver com tolerância ao risco. Trata-se de um dinheiro de emergência ou para gastos imediatos, que não pode ser arriscado de jeito nenhum.

Já para horizontes de longo prazo, mesmo um investidor com baixa tolerância ao risco deveria ter investimentos mais arriscados. É o meu caso: o dinheiro da minha aposentadoria está investido parcialmente em bolsa. Não há problema em perder no curto prazo, pois trata-se de um investimento de longo prazo.

Portanto, fica claro que o que manda no tipo de investimento mais adequado é o horizonte de investimento, que, por sua vez, depende do objetivo do investimento. A tolerância a risco deve ser levada em consideração também, mas é, de certo modo, secundária.

O horizonte de investimento é tão importante que acaba se confundindo com os tipos de investimento que nos são oferecidos pelo mercado. Costumamos classificar genericamente os investimentos em conservadores, moderados e agressivos. Essa classificação normalmente é associada à tolerância ao risco do investidor. Eu prefiro associar ao horizonte de investimento: de modo geral, os investimentos conservadores são adequados para objetivos de curto prazo, os moderados, para o médio prazo e os agressivos, para objetivos de longo prazo, independentemente da tolerância ao risco do investidor.

Aproveitando que estamos falando sobre tolerância a risco, vamos entender melhor o que significa risco e quais são os tipos de risco que estamos correndo quando investimos.

O que é risco?

De maneira muito simples, risco é a chance de que algo não saia conforme os planos. Isso vale para qualquer área da vida. No mundo dos investimentos, é a chance de perder dinheiro. Quando efetivamente perdemos dinheiro em uma aplicação, dizemos que *o risco se materializou*, ou seja, aquilo que era apenas uma probabilidade passou a ser uma certeza.

O interessante é que não nos referimos ao *risco de ganhar dinheiro*. Mas esta é a outra face da moeda: o risco que nos faz perder dinheiro é o mesmo risco que nos faz ganhar. Quem não arrisca não petisca, diz o velho ditado. Isso parece muito óbvio, mas as pessoas costumam esquecer-se dessa verdade quando perdem dinheiro com investimentos.

Até a própria definição do que seja "perder dinheiro" é fluida. Podemos perder dinheiro de duas maneiras: absoluta e relativa. A maneira absoluta é aquela conhecida: resgatamos menos dinheiro do que o investido. Temos um prejuízo. Já a maneira relativa de perder dinheiro envolve um conceito um pouco mais sofisticado: o *custo de oportunidade*.

O custo de oportunidade é dado pela rentabilidade de outro investimento que você poderia ter feito e que é maior do que aquela que você teve no seu investimento atual. Sempre vai haver investimentos melhores que o seu, isso é líquido e certo — principalmente aqueles feitos pelo seu amigo ou cunhado *trader* que está sempre contando vantagem. Portanto, nesse sentido, você sempre estará "perdendo dinheiro", ou deixando de ganhar.

Outra característica do risco como sinônimo de "perder dinheiro" é o momento de *realizar o prejuízo*. A rigor, enquanto você não precisa resgatar o seu investimento, o seu prejuízo ou lucro é zero. Trata-se apenas de uma ficção contábil, o dinheiro que você teria se resgatasse hoje. É mais ou menos como o preço de um imóvel: teoricamente vale tanto, mas você só vai saber exatamente quanto vale no dia em que alguém transferir para a sua conta determinado valor. Até lá, trata-se de uma ficção contábil.

Como podemos observar, a chance de perder dinheiro, que em princípio parece um conceito muito objetivo e simples, na verdade é algo cheio de sutilezas. Consciente dessas armadilhas mentais, fica mais fácil lidar com o risco.

Em primeiro lugar, tenha um objetivo para o seu investimento (olha ele aí novamente!). Com um objetivo, você se livra de comparações que só atrapalham. O seu objetivo é somente seu, não do seu amigo ou do seu cunhado. Se você alcançou a meta que desejava, o que lhe importa o que aconteceu com os investimentos dos outros?

Depois, se o seu investimento estiver harmonizado com o seu horizonte de investimento (que depende, mais uma vez, do seu objetivo), o que importa saber o que está acontecendo no meio do caminho? Se você não precisa resgatar o dinheiro naquele momento, por que conferir e ficar nervoso ou nervosa com o valor do investimento?

O risco está na essência dos investimentos por um motivo simples: não conhecemos o futuro. Sendo assim, para investimentos de longo prazo, que, por definição, são mais arriscados, é quase uma questão de fé de que a coisa vai dar certo no final. O que estou defendendo aqui, e funcionou para mim ao longo de anos, é que investimentos não devem ser tratados como crianças que precisam de uma babá que as pajeiem. Investimentos são adultos que sabem o que estão fazendo. Basta escolher corretamente, de acordo com o seu horizonte de investimento, e eles trabalharão sozinhos.

Obviamente, o grande risco dessa filosofia é descobrir, depois de 20 anos, que o retorno dos investimentos não foi o esperado. Depois desse tempo todo, não adianta chorar sobre o leite derramado. Mas o ponto é que, como nunca teremos o contrafactual (ou seja, o que teria acontecido se tivéssemos feito diferente), nada garante que teríamos um resultado melhor se tivéssemos movimentado o investimento de maneira alucinada, sempre buscando, a cada momento, o "melhor investimento". Minha experiência, assim como a do Michael Bloomberg, indica que o melhor é procurar alternativas que estejam de acordo com o seu horizonte de investimento e tratar de dedicar-se ao seu próprio trabalho.

Tudo isso que falamos até o momento refere-se ao risco dos investimentos em si. Ou seja, você pode perder dinheiro com ações, porque elas podem se desvalorizar. Há outro tipo de risco, no entanto, que pode pegar qualquer um desprevenido, mas costuma vitimar principalmente aqueles que acreditam em altos retornos sem risco. Trata-se do risco de golpe.

Bom demais para ser verdade

Bernard Madoff era um gestor de investimentos norte-americano de muito sucesso. Sua corretora oferecia uma operação envolvendo ações e derivativos que produzia retornos bem superiores aos do mercado. Muitos investidores, principalmente os que investiam em fundos de doações de caridade, confiaram seus recursos para que Madoff os multiplicasse. Alguns analistas do mercado, estudando os retornos do fundo de Madoff, chegaram à conclusão de que não era possível obter aqueles resultados com as operações que Madoff afirmava realizar. No entanto, a sua carteira de investimentos crescia e se multiplicava, até que a casa caiu.

Em dezembro de 2008, Madoff confessou que tudo não passava de um gigantesco *esquema Ponzi* e não tinha mais como honrar os resgates. O esquema Ponzi recebe esse nome em homenagem ao também norte-americano Charles Ponzi, que armou um esquema na década de 1920, no qual os rendimentos dos primeiros investidores eram pagos com as aplicações dos seguintes. Por isso, esse esquema também é chamado de *pirâmide* (os investidores da base sustentam os investidores do topo) ou *bicicleta* (para ficar em pé, o esquema precisa sempre ter novos investidores pedalando). Um esquema desse tipo obviamente não é sustentável para sempre. Por isso, em determinado momento, o responsável some com o dinheiro dos investidores ou afirma que não consegue pagar mais os resgates.

Madoff patrocinou o maior esquema Ponzi da história, com bilhões de dólares de prejuízos para os seus investidores, mas está longe de ser o único. De vez em quando ouvimos o caso de investidores revoltados com alguém que lhes promete retornos espetaculares, mas que acaba entregando uma fraude. O autor do golpe, via de regra, some com o dinheiro.

Como escapar desse tipo de armadilha? Simples: não acreditando em promessas boas demais para serem verdade. Se investimentos normais estão rendendo, digamos, 0,5% ao mês, desconfie de promessas de rendimento de 5% ao mês. Isso é óbvio, em tese, mas é difícil distinguir e resistir quando se trata de uma oferta real. De qualquer modo, fica o aviso.

A prateleira de produtos de investimento

O leigo, quando se depara com a imensidade de opções de investimentos disponíveis no mercado, costuma ficar perdido. Em primeiro lugar, porque não conhece os jargões e a nomenclatura. Depois, porque lhe faltam os conceitos mais básicos sobre esse universo. É natural. Um médico, um advogado, um empresário, um executivo de empresa têm o treinamento específico de sua área. Não conhecem nem são obrigados a conhecer investimentos.

Então, há três alternativas: ou o leigo estuda o assunto a ponto de se tornar um especialista, ou confia os seus investimentos a um profissional, ou brinca no raso, não se aventura por onde não conhece. Cada uma dessas alternativas é válida e legítima, não há por que condenar uma ou outra. O que não se recomenda é tentar alternativas mais sofisticadas de investimento sem ter o conhecimento para tal. Como vimos antes, Warren Buffett, um dos investidores mais bem-sucedidos da história, costuma dizer que não investe em um negócio que não entende. Se Warren Buffett não se envergonha de dizer que não entende de todos os negócios, por que você ou eu nos envergonharíamos de admitir que não conhecemos algumas alternativas de investimento e, portanto, optamos por não investir?

No entanto, mesmo com o auxílio de um profissional, é importante pelo menos ter uma noção do que se está fazendo. É o que ocorre quando você vai a um médico: mesmo confiando no diagnóstico e na receita, normalmente queremos saber como funciona o remédio e quais são os seus possíveis efeitos colaterais. Afinal, assim como é no nosso corpo que o remédio terá efeito, é no nosso bolso que o investimento fará o seu efeito.

Como eu ia dizendo, a prateleira de investimentos é imensa. A criatividade do mercado financeiro é inesgotável e sempre está inventando algo diferente e sofisticado para encantar os investidores. Vou, aqui, procurar cobrir somente os investimentos mais comuns, o feijão com arroz da prateleira de investimentos brasileiros. Não pretendo esgotar o assunto, apenas listar e descrever as características dos principais tipos de investimento. Garanto que você não precisa de nada mais do que vai a seguir para montar um bom plano de investimento.

Investir através de fundos ou comprar títulos diretamente?

Logo no início deste capítulo, transcrevi uma entrevista que Michael Bloomberg concedeu à revista *Veja*. Nela, Bloomberg afirmou que acha melhor que o leigo invista seu dinheiro através de fundos de investimento, para não perder muito tempo com esse assunto. Mas, afinal, qual a diferença entre investir através de fundos ou comprar títulos diretamente no mercado?

Quando você compra cotas de um fundo, está entregando o seu dinheiro para alguém administrar de acordo com certas regras, em troca de uma taxa de administração. Por outro lado, quando compra títulos diretamente, não existe esse intermediário. Investir através de fundos tem duas vantagens e duas desvantagens. As vantagens são:

- A *conveniência*. Quando você compra títulos diretamente, precisa se preocupar em abrir conta em uma corretora, dar as ordens de compra e venda, mandar o dinheiro para a corretora, preocupar-se em reaplicar o dinheiro no vencimento dos títulos. Por outro lado, o único trabalho de investir em fundos é dar uma simples ordem de aplicação e resgate. É mais prático.
- A *expertise do gestor*. Essa vantagem só vale para aqueles fundos mais sofisticados. O gestor, em tese, tem mais chance de ganhar dinheiro do que um leigo operando nos mesmos mercados.

Por outro lado, as desvantagens são as seguintes:

- O *custo*. Quando você compra títulos diretamente, em geral o custo é menor do que a taxa de administração cobrada pelos fundos. Claro que esta taxa está pagando por um serviço. Mas, se você estiver disposto a adotar o modo "faça você mesmo" nos seus investimentos, pode economizar alguns trocados investindo diretamente em títulos no mercado.
- A *expertise do gestor*. Ok, você deve estar estranhando este item aparecer aqui nas desvantagens também. Isso acontece porque a "expertise do gestor" é uma faca de dois gumes: pode gerar ganhos ou perdas para o fundo. Mas este não é um problema somente dos fundos de investimento: você também pode perder dinheiro ao tentar investir em títulos diretamente. De qualquer maneira, neste caso, pelo menos você é dono das próprias decisões.

Investimentos para compor a sua reserva de emergência

Como dissemos antes, a reserva de emergência precisa ter liquidez (isto é, você tem que poder resgatar a qualquer momento sem perder rentabilidade) e ter risco baixo. Existem três produtos de investimento que cumprem mais ou menos esse papel. Digo mais ou menos porque nenhum deles é perfeito, todos têm os seus pontos negativos. Mas são o que temos para o momento. São eles: caderneta de poupança, fundos DI e Tesouro Selic.

A *caderneta de poupança* é a rainha dos investimentos brasileiros. Criada ainda durante o período do Império, a poupança, como é popularmente conhecida, é aquele investimento que todo mundo conhece desde criança. Na segurança, o leigo escolhe a poupança (até rimou!).

No entanto, existem dois problemas com a caderneta de poupança: rende pouco e não tem liquidez diária com remuneração cheia.

A rentabilidade desse tipo de investimento segue duas regras:

1) Se a taxa Selic (que é a taxa de juros decidida pelo Banco Central) for menor ou igual a 8,5% ao ano, a poupança vai render 70% da taxa Selic.
2) Se a taxa Selic for maior que 8,5% ao ano, a poupança vai render TR + 0,5% ao mês.

Na prática, trata-se de uma das aplicações que menos rendem no mercado. Maaaassss (sempre tem um "mas") a caderneta tem uma característica que a distingue de praticamente todas as outras aplicações: é isenta de imposto de renda. Isso significa que a rentabilidade da poupança entra cheia no seu bolso, sem o desconto do imposto.

Essa característica pode ser decisiva quando comparamos a poupança com outros investimentos em que incide o imposto de renda. Por exemplo, se um fundo DI tiver taxa de administração de 0,5% ao ano e a taxa Selic for de 3% ao ano, a sua rentabilidade antes de impostos será de 3% menos

0,5%, ou seja, 2,5% ao ano. Se o imposto for de 20% sobre o rendimento, o imposto cobrado será de 2,5% x 20% = 0,5% de imposto, resultando em um rendimento líquido igual a 2%.

Com essa mesma taxa Selic de 3%, o rendimento da poupança será de 3% x 70% = 2,1% ao ano. Ou seja, maior que a do fundo DI com taxa de 0,5%. Essa diferença fica maior a favor da poupança quanto menor for a taxa Selic.

Mas a poupança só proporciona essa rentabilidade se o resgate ocorrer na data do aniversário mensal da aplicação. Caso contrário, o retorno daquele mês não é computado. Esse problema pode ser parcialmente corrigido se houver várias aplicações em várias datas diferentes do mês, mas se trata de uma dor de cabeça operacional. Por isso, os fundos DI acabam sendo a alternativa preferencial para quem tem um pouco mais de dinheiro para investir.

Fundos DI são fundos de investimento que investem em títulos públicos e privados indexados ao CDI. O CDI é a taxa de juros diária de negociação entre os bancos privados e, normalmente, é muito semelhante à taxa Selic. A desvantagem dos fundos DI é o seu risco de crédito (pois investem em títulos privados), o que não ocorre com a poupança e o Tesouro Selic. Por outro lado, como acontece com todos os fundos de investimento, a grande vantagem dos fundos DI é a sua conveniência: têm liquidez diária com a rentabilidade cheia e são fáceis de aplicar e resgatar. Eu, particularmente, mantenho minha liquidez em fundos DI.

Por fim, o Tesouro Selic é um título público federal cuja rentabilidade é atrelada à taxa Selic. É negociado através da plataforma do Tesouro Direto. Não vou aqui entrar nos detalhes técnicos desta plataforma, pois existe muita informação de qualidade por aí a respeito. A vantagem do Tesouro Selic é a sua rentabilidade, normalmente maior do que a da poupança e dos fundos DI, porque os seus custos são menores. A desvantagem é a complicação operacional: você precisa abrir conta em uma corretora, o dinheiro do resgate não entra no mesmo dia na sua conta, às vezes a plataforma do Tesouro Direto fica fechada por causa da volatilidade do mercado. Enfim, como se trata de um dinheiro de conveniência, não parece que valha a pena o trabalho em função de uma rentabilidade só um pouco maior.

Investimentos para os seus objetivos de médio prazo

Aqui estamos falando daqueles objetivos de consumo com horizonte acima de um ano: a compra de um automóvel ou a entrada de um imóvel são exemplos típicos. Nestes casos, é recomendável que saibamos qual o valor que desejamos poupar, o nosso objetivo de retorno. Um exemplo simples vai nos ajudar a entender o conceito.

Digamos que estejamos juntando dinheiro para comprar um automóvel daqui a 4 anos. Queremos poupar o equivalente a R$ 60.000 nesse período, o que resulta em uma poupança mensal de R$ 1.250. Mas isso seria sem a taxa de juros. Considerando uma taxa de juros de, digamos, 0,5% ao mês, o montante mensal a ser poupado diminui para aproximadamente R$ 1.100. A questão é: onde aplicar esse montante mensalmente?

No exemplo, precisamos procurar investimentos que possam render esse 0,5% ao mês, ou 6% ao ano. No momento em que estou escrevendo este livro, a taxa Selic está em apenas 2% ao ano, de modo que esses 6% representam a Selic mais 4% ao ano. Não é fácil encontrar investimentos com essa rentabilidade no mercado, a não ser correndo bastante risco. Claro que, com a Selic mais alta, fica mais fácil encontrar investimentos com esse retorno. Mas acho que deu para entender o problema de estabelecer, *a priori*, qual o retorno desejado.

Eu prefiro fazer o inverso: verifico qual a rentabilidade de investimentos que são compatíveis com os meus objetivos de retorno e risco, e faço o cálculo de qual a poupança necessária para atingir esses objetivos.

No caso anterior, um título público prefixado que vence em 4 anos estava rendendo, no momento em que eu escrevia este livro, 5,2%. Considerando uma alíquota de imposto de renda de 15%, a rentabilidade líquida (após o IR) desse investimento seria de 4,4% ao ano. Com essa taxa, a poupança mensal necessária para atingir o objetivo seria de aproximadamente R$ 1.150. São R$ 50 a mais do que o cálculo anterior, mas está mais adequado ao retorno oferecido pelo mercado.

Claro que poderíamos procurar investimentos com mais risco, buscando um retorno maior, o que permitiria, no final das contas, poupar menos. Mas, como se trata de risco, pode funcionar para mais e para menos. E você pode chegar ao final dos 4 anos com dinheiro suficiente para comprar apenas uma carroça em vez do automóvel pretendido.

Para investimentos com data marcada e valor definido, eu normalmente prefiro títulos públicos negociados na plataforma do Tesouro Direto. Como esses títulos têm uma data de vencimento, você sabe exatamente quanto vai receber naquela data, o que facilita o planejamento. No exemplo acima, verificamos a taxa de juros de um título com vencimento em 4 anos, pois esse é o horizonte de tempo desejado para a compra do automóvel.

Também é possível comprar títulos de crédito (emitidos por empresas ou bancos), como CDBs e debêntures, com a data de vencimento pretendida, mas eles normalmente rendem menos do que os títulos prefixados. Neste caso, você vai correr o risco de crédito do emissor. Ou seja, se o emissor não honrar o pagamento, você pode perder uma parte do seu investimento. Este é um risco a ser considerado, por isso é bom não colocar todos os seus recursos em um único papel, para não concentrar esse risco. No caso de CDBs especificamente, estes títulos são cobertos pelo Fundo Garantidor de Crédito até uma determinada quantia (R$ 250.000 no momento em que escrevo este livro), de modo que, se o banco quebrar, seu investimento está garantido até esse montante.

Investimentos para conquistar sua independência financeira

Estes são os investimentos de longo prazo, aqueles que devem ser capazes de gerar rendimentos para você viver sem precisar de salário. Esses rendimentos podem ser gerados de duas maneiras: através da venda dos ativos que você acumulou ao longo do tempo ou através do pagamento de dividendos gerados por esses ativos.

Investimentos visando ao longo prazo, pela sua própria natureza, são mais arriscados. Por isso muitos não se sentem à vontade com eles, pelo receio de perder dinheiro. Mas esse é um receio que não faz sentido.

Justamente o fato de serem mais arriscados é que faz desses investimentos potencialmente os mais rentáveis no longo prazo. Note que eu disse "potencialmente". Não necessariamente vai acontecer. Mas, pelo menos, existe uma probabilidade. Colocando dinheiro só em investimentos de baixo risco, com certeza você nunca vai correr o risco de ganhar mais.

Existem muitos tipos de investimento que se enquadram nesse perfil. Vamos ver os mais comuns.

1) **Ações e fundos de ações**: ações são participações em empresas. Todos os bilionários do mundo são acionistas de empresas e vivem dos dividendos que essas empresas pagam. Mas você não precisa ser um bilionário para fazer a mesma coisa! Existem duas formas de investir em ações: comprando ações diretamente ou investindo em fundos de investimento em ações. No primeiro caso, você precisa ter algum conhecimento básico sobre as empresas das quais está sendo sócio (lembre que a ação é um título de sócio nos resultados da empresa). No segundo, você delega essa tarefa a um gestor profissional, em troca de uma taxa de administração. Eu e o Michael Bloomberg preferimos investir através de fundos, mas escolher as ações também é legítimo, desde que você faça a lição de casa. Não existe mágica, o que existe é muito estudo e dedicação. Já que, para a

maioria de nós, que temos outra profissão como o nosso ganha-pão, falta tempo para nos dedicarmos ao estudo, delegar a escolha a um ou mais gestores profissionais parece ser a alternativa mais adequada.

2) **Imóveis e fundos imobiliários**: comprar imóveis é daqueles investimentos que contam com a quase unanimidade do investidor brasileiro. "Tijolo é moeda forte", diz a sabedoria popular. Se as ações nos dão sustos com o sobe e desce de suas cotações, os imóveis parecem inabaláveis, pois não conhecemos seus preços on-line. Não existe uma "bolsa de imóveis" como existe uma bolsa de valores. O imóvel é o típico gerador de renda. Você compra e, depois, aluga, gerando uma fonte de receita.

Claro que, assim como as ações, os imóveis também são investimentos arriscados. O imóvel pode desvalorizar-se, a depender das condições de seu entorno. Pode ainda permanecer vazio, gerando despesas ao invés de receitas.

Para diminuir o risco do investimento em imóveis, o ideal é poder contar com uma carteira diversificada, vários imóveis de tipos e localizações diferentes. Isso funciona com as ações também. Mas, para quem tem dificuldade em escolher os imóveis, ou mesmo não tem os recursos para diversificar a carteira, os fundos imobiliários podem ser uma alternativa interessante.

Assim como os fundos de ações, os fundos imobiliários contam com uma gestão profissional em troca de uma taxa de administração. Além disso, apresentam maior liquidez, ou seja, podem ser vendidos de maneira mais rápida e fácil do que os imóveis diretamente, pois suas cotas são negociadas em bolsa de valores.

Por outro lado, o fato de serem negociados em bolsa faz com que as cotas dos fundos imobiliários oscilem drasticamente, explicitando o risco desse tipo de investimentos. Muitos não gostam de ver seus investimentos desvalorizando, e a cotação em bolsa escancara esse fato quando isso ocorre. Melhor a ilusão do imóvel em tijolo, em que não temos consciência de quanto efetivamente vale, a não ser quando vamos a mercado para tentar vendê-lo. É quando geralmente todas as ilusões são desfeitas.

3) **Fundos multimercados**: fundos multimercados, como o próprio nome diz, são fundos de investimento em que o gestor procura agregar valor utilizando todos os instrumentos disponíveis no mercado de capitais. A criatividade e a legislação são o limite.

    Nesta categoria, existe um universo de possibilidades. São uma miríade de gestores oferecendo uma grande variedade de estratégias, das mais conservadoras às mais arriscadas. Como escolher? Aqui, temos o mesmo problema da escolha de ações ou de imóveis. Como selecionar os melhores fundos multimercados?

    Temos também a possibilidade de investir em fundos que investem em fundos multimercados. Estes fundos chamam-se FoFs (*Fund of Funds*) e fazem esse trabalho de "curadoria" na escolha de fundos multimercados em troca de uma taxa de administração.

4) **Tesouro IPCA+**: vimos que existem títulos públicos para fazer a sua reserva de emergência e títulos públicos que servem para os seus investimentos com vistas a comprar o seu objeto de desejo. Pois também existe um tipo de título público para os investimentos que têm como objetivo conquistar a sua independência financeira. É o chamado Tesouro IPCA+.

    Este título é o que tem os vencimentos mais longos. Portanto, são os mais adequados para esse objetivo. Uma maneira de escolher o título é casar o vencimento com a data provável de sua aposentadoria. Se você não tem ideia, pois está muito longe, não tem problema. Qualquer título com vencimento suficientemente longo serve.

    A vantagem do Tesouro IPCA+ é que, pelo menos, você tem uma proteção contra a inflação no longo prazo. A desvantagem (e que não é realmente uma desvantagem) é que o valor desses títulos pode oscilar muito no meio do caminho até o vencimento. Não vamos aqui entrar no detalhe técnico, mas isso acontece porque as taxas de juros variam muito, afetando o valor do título. Então, podem ocorrer prejuízos no curto prazo. Como, no entanto, você pretende usar esse dinheiro somente lá no futuro, tanto faz o que acontece com o valor do seu investimento hoje, não é mesmo?

Aliás, esta é a característica de todos os investimentos de longo prazo: tanto faz o valor hoje, o que importa é o valor no futuro distante, que é quando você vai precisar usar o dinheiro. Até lá, o valor do seu investimento não significa muita coisa, principalmente quando estamos falando de um título de renda fixa, como é o caso, em que já sabemos o valor a ser resgatado no vencimento. Este é o valor que realmente importa.

5) **Debêntures**: são títulos emitidos por empresas para financiar suas atividades de longo prazo. Normalmente só são resgatáveis no vencimento, o que os torna mais adequados para quem não precisa de liquidez de curto prazo. Por isso, são indicados justamente para fazer poupança de longo prazo.

O risco das debêntures é o risco de crédito: se a empresa quebrar antes do vencimento, você pode ter dificuldade em receber o dinheiro investido de volta. Por isso, para quem não tem como acompanhar o estado de saúde das empresas, o mais adequado é investir em fundos de crédito, onde o gestor faz a análise e compra debêntures de várias empresas. Assim, além de diminuir o risco de entrar em uma barca furada, o fato de diversificar o investimento entre várias empresas também mitiga o risco, pois, se uma ou duas empresas quebrarem, você não perde tudo.

6) **Investimentos no exterior**: antigamente, investir no exterior era sinônimo de algo próximo ao escuso. Dinheiro remetido para fora utilizando o "mercado negro" de câmbio, investimentos seletos em

paraísos fiscais, essa era a imagem que investir no exterior tinha há não muitos anos. E, claro, somente estaria reservado para quem tivesse muito dinheiro disponível para investir.

Esta é uma imagem do passado. Hoje, qualquer um pode investir no exterior. E, para isso, não precisa nem remeter o dinheiro para fora. Há muitos fundos de investimento locais que investem seus recursos em fundos lá fora. E há também os *Brazilian Depositary Receipts* (BDRs), que são recibos de ações americanas negociadas na bolsa brasileira. Ou seja, só não investe no exterior quem não quer.Qualquer investimento no exterior tem duas dimensões: o tipo de ativo que se compra lá fora e o câmbio. Ou seja, é preciso tomar a decisão de que tipo de investimento se quer (renda fixa ou renda variável) e se vai ser em dólar ou em real.

Aí você pergunta, e com razão: como vou decidir tudo isso sozinho? Se os investimentos para fazer a reserva de emergência e para comprar um objeto de desejo parecem ser relativamente simples e diretos, as possibilidades quase infinitas de investimentos de longo prazo têm o poder de deixar qualquer um perdido. O que fazer?

O princípio KISS

Este é um princípio que aprecio bastante, não somente para gerir meus investimentos como para outras áreas da vida. KISS, além de significar "beijo", é um acrônimo para *Keep It Simple, Stupid* (em tradução livre, seria algo como "não complica, seu idiota").

Investir não deveria significar uma fonte de estresse. Trata-se de manter o seu patrimônio e, se possível, fazê-lo crescer de maneira segura e consistente ao longo do tempo. Falando dessa forma parece algo tranquilo, mas sabemos que os investimentos têm muitos altos e baixos ao longo do tempo. E eu sei que não é fácil simplesmente ficar olhando para os nossos investimentos enquanto derretem na última crise.

Mas a boa notícia é que as crises não são para sempre. Nunca são! E uma crise é sempre uma oportunidade para comprar ativos baratos *para quem tem horizonte de investimento de longo prazo*.

Voltando ao princípio KISS aplicado aos investimentos, mantenha sua carteira diversificada sem se preocupar em acertar o próximo "cavalo vencedor". Uma mistura dos ativos citados acima é suficiente para ter uma carteira com boas perspectivas de rendimento no longo prazo.

Em primeiro lugar, você deve decidir quanto de renda fixa e quanto de renda variável vai querer ter. Como regra de bolso, quanto mais jovem, mais renda variável você deveria ter. Mas isso também vai depender da sua tolerância a risco, que deve ser respeitada.

Na parcela de renda fixa, você pode comprar títulos de Tesouro IPCA+, debêntures ou fundos multimercados. Já na parcela de renda variável, pode comprar fundos imobiliários, ações ou fundos de ações. Os investimentos no exterior podem servir tanto para a parcela de renda fixa quanto para a parcela de renda variável, a depender do tipo de fundo em que se está investindo.

E, na provável hipótese de que tudo isso ainda seja grego para você, considere seriamente a ideia de contratar um consultor financeiro pessoal. Esse profissional, pago diretamente por você, poderá lhe dar a segurança e o conforto de saber que seu dinheiro está sendo investido da maneira correta. Minha opinião é que se trata de um dinheiro bem investido. E lembre: a intenção não é fazer com que você fique rico com investimentos.

Com os pés no chão ou "não acredite quando dizem que você pode ficar rico com investimentos"

Uma última palavra neste capítulo: você não vai ficar rico fazendo investimentos. Você vai ficar rico poupando o dinheiro gerado pelo seu trabalho. Os investimentos permitem apenas multiplicar um dinheiro que já existia anteriormente. É como diz a velha piada: "Sabe como se faz uma pequena fortuna na bolsa? Aplicando uma grande fortuna".

Muitos investidores têm a ilusão de que podem tirar a "sorte grande" e, assim, driblar a necessidade de esperar pelos frutos de seus investimentos. O conceito de horizonte de investimento supõe uma virtude muito importante para qualquer investidor (na verdade, para qualquer pessoa): a paciência. A paciência é a virtude de homens e mulheres maduros, que sabem que tudo o que vale a pena deve ser conquistado com o tempo. As crianças querem tudo para já; os adultos sabem esperar.

CAPÍTULO 5
Independência financeira

A imagem clássica da independência financeira é a de alguém navegando placidamente em seu iate, sem maiores preocupações com o seu sustento.

Crédito: Franckito/123RF.

No entanto, essa imagem traz uma mensagem totalmente equivocada sobre o que é a "independência financeira" por colocar esse objetivo em um patamar inalcançável para a maioria dos mortais. A independência financeira não pode ser, de maneira alguma, algo assim. Pelo contrário: deve ser um objetivo factível para a maior parte de nós. Mesmo porque não alcançar independência financeira significa ter que trabalhar até a morte para se sustentar. Aposentar-se é justamente usufruir de independência financeira.

Sabemos que vamos perdendo energia com o passar dos anos, até que chega o momento em que não conseguimos mais produzir. Via de regra, esse é o momento em que precisamos poder usufruir do capital acumulado ao longo dos anos. A isso, chamamos *usufruir da independência financeira*.

Mas, aqui, temos uma contradição em termos: de que adianta poder parar de trabalhar quando já não temos saúde sequer para continuar trabalhando? Queremos poder usufruir da independência financeira justamente enquanto ainda temos energia e saúde. Afinal, poder navegar em um iate tendo que ser cuidado por uma enfermeira não é, digamos assim, muito excitante.

Claro que a independência financeira não significa necessariamente apenas diversão. De uma maneira mais ampla, significa fazer aquilo de que se gosta sem se preocupar com o retorno financeiro. Pode até ser uma atividade produtiva, mas algo mais parecido com um hobby do que o nosso trabalho entediante do dia a dia.

Bem, há tantas nuances neste *desejo* pela independência financeira que fica até difícil saber por onde começar. Iniciemos por estabelecer corretamente o próprio conceito de independência financeira.

A corrida dos ratos

Vimos acima que independência financeira significa poder fazer o que quiser sem ter a preocupação de ganhar dinheiro para se sustentar. Por trás dessa definição, há dois conceitos que se entrelaçam: o nosso padrão de vida e o dinheiro que conseguimos poupar.

Parece óbvio que o dinheiro que conseguimos poupar ao longo da vida seja determinante da nossa independência financeira. Afinal, quanto mais dinheiro tivermos, mais teremos disponível para sustentar os nossos gastos.

Por outro lado, os nossos gastos também são determinantes da nossa independência financeira. Quanto mais alto for o nosso padrão de vida, maiores serão as despesas para sustentá-lo e maior terá que ser a poupança acumulada para bancá-las. A independência financeira está intimamente relacionada com a Teoria do Gás, que vimos no Capítulo 2.

Se você se recorda, a Teoria do Gás diz que as nossas despesas aumentarão na proporção de nossas receitas, a ponto de ocupar todo o orçamento disponível. A única maneira de poupar, portanto, é colocar a poupança como um gasto adicional *antes* de todos os outros gastos. Dessa forma, o recipiente do nosso orçamento fica menor, e somos forçados a adaptar os nossos outros gastos a esse novo recipiente.

O que isso tem a ver com a independência financeira? Observe a figura abaixo:

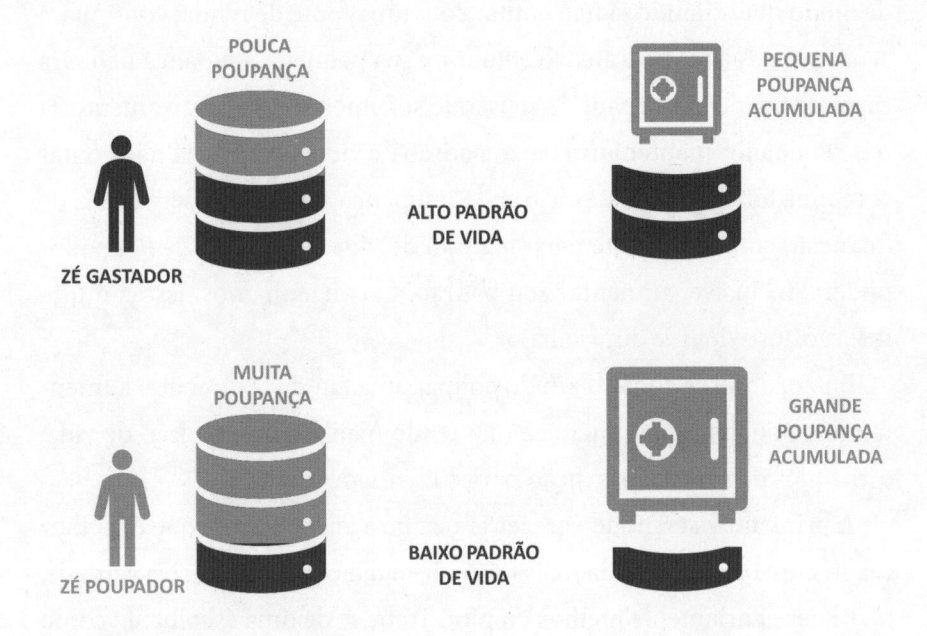

ZÉ GASTADOR — POUCA POUPANÇA — ALTO PADRÃO DE VIDA — PEQUENA POUPANÇA ACUMULADA

ZÉ POUPADOR — MUITA POUPANÇA — BAIXO PADRÃO DE VIDA — GRANDE POUPANÇA ACUMULADA

Temos dois personagens, o Zé Gastador e o Zé Poupador. Ambos têm a mesma renda. O Zé Gastador, como o nome indica, gasta muito para manter um padrão de vida superior. Com isso, sobra pouco para poupar, se é que sobra. Já o padrão de vida do Zé Poupador é mais baixo, sobrando mais do seu orçamento para poupar.

Obviamente, a poupança acumulada pelo Zé Poupador é maior do que a acumulada pelo Zé Gastador. Até aqui, nenhuma novidade. Mas o interessante vem agora.

Perceba como o padrão de vida de ambos permanece o mesmo ao longo do tempo. Este padrão de vida não é, de fato, o real. Trata-se de um padrão de vida "psicológico". O ser humano vai se acostumando, ao longo da vida, com determinado padrão de vida. De modo que, mesmo quando já não conta com uma fonte de receita (esta é a definição de "independência financeira", lembra?), a pessoa continua, por inércia, acostumada àquele determinado padrão de vida.

Vejamos os dois casos. O Zé Gastador tem um alto padrão de vida, de modo que, quando já não contar com uma fonte de renda, continuará acostumado a esse padrão. No entanto, a sua pequena poupança não será capaz de financiar seu padrão, causando sofrimento pelo rebaixamento. Já o Zé Poupador mantém um baixo padrão de vida. Quando já não contar com uma fonte de renda, sua grande poupança acumulada será capaz de financiar, com sobra, este baixo padrão de vida. Se quiser, Zé Poupador poderá, inclusive, aumentar seu padrão. E, convenhamos, isso é muito mais gostoso do que diminuir.

Então, observe como o ato de poupar atua em duas direções: aumentando a poupança acumulada e mantendo mais baixo o padrão de vida, tornando mais fácil a transição para a liberdade financeira.

À primeira vista, pode parecer chocante a afirmação de que é melhor manter um padrão de vida mais baixo de maneira proposital. Na verdade, não é necessariamente melhor ou pior. Trata-se de uma escolha. E, como qualquer escolha, traz consigo consequências. São duas as consequências de poupar pouco: acumular pouca poupança e manter um padrão de vida mais alto do que aquele que pode ser sustentado no futuro. Não vai aqui nenhum juízo de valor, trata-se apenas de matemática e um pouco de psicologia do consumo.

A pessoa que busca sofregamente pelo aumento ilimitado do próprio padrão de vida cai na armadilha conhecida como *corrida dos ratos*. "Corrida dos ratos" é um termo que lembra a corrida meio sem sentido de ratos de laboratório em um labirinto ou em uma roda. Correm e correm e correm sem um objetivo. Claro que aumentar o próprio padrão de vida é um objetivo nobre e possível. O problema é que não tem limite (lembre-se da Teoria do Gás!). A pessoa está sempre correndo e nunca alcança o objetivo.

Alguém poderia dizer: "Mas sempre pensei na independência financeira como um objetivo em que eu poderia gastar com o que quisesse sem ter que me preocupar com o dia de amanhã". Bem, na verdade isso não é independência financeira, isso se chama ganhar na loteria. O ganhador da loteria recebe um montante muito superior à sua renda (e, portanto, ao seu atual padrão de vida) e não consegue, pelo menos inicialmente, aumentar o seu padrão de vida de imediato. Então, vem aquela sensação de que "posso tudo". Mas, como vimos no Capítulo 2, trata-se de uma sensação passageira, que, com o tempo, pode dar lugar a gastos desenfreados que, por sua vez, podem desembocar no desastre financeiro.

Como dizíamos, a independência financeira não é ganhar na loteria. Independência financeira significa poder viver só com a renda dos seus investimentos. E, para tanto, é preciso ter investimentos que gerem renda suficiente para manter o seu padrão de vida. Quanto maior o padrão de vida, maior terá que ser a poupança acumulada para sustentá-lo.

Os filhos são uma forma de manter o seu padrão de vida sob controle

Digamos que você seja solteiro ou solteira. Sua renda, portanto, é dirigida para dois objetivos: manter o seu próprio padrão de vida e acumular recursos para a sua independência financeira. Vamos supor que você poupe 10% da sua renda e use 90% para manter seu padrão de vida.

Então, você encontra o amor de sua vida e decide juntar os trapinhos. Vamos supor que sua cara-metade ganhe o mesmo que você e também poupe 10% da renda. Temos, então, duas pessoas ganhando a mesma coisa para manter o mesmo padrão de vida de antes, correto? Errado!

Quando duas pessoas se juntam, há economias de escala. Não são necessárias duas faxineiras, duas assinaturas de TV, dois condomínios etc. Se vocês mantiverem o mesmo padrão de vida anterior (o mesmo tamanho de apartamento, os mesmos eletrodomésticos etc.), sua renda disponível vai aumentar e, portanto, também o seu padrão de vida. Há estudos que mostram que essa economia de escala pode chegar a 40%! Ou seja, 1 + 1 não é igual a 2, mas sim igual a 1,6. Então, temos a seguinte situação:

Antes do casamento: renda de 0,9 (90% de uma renda) para sustentar uma pessoa, gerando um padrão de vida de 0,9.

Depois do casamento: renda de 1,8 (são duas rendas de 0,9) para sustentar 1,6 pessoa, gerando um padrão de vida de 1,125 (1,8 dividido por 1,6). Ou seja, houve um aumento de 25% no padrão de vida dos dois (antes era de 0,9, agora é de 1,125).

Claro que, aqui, estou partindo do pressuposto que ambos os consortes ganham a mesma coisa. Se isso não for verdade, o padrão de vida de quem ganha menos vai subir mais do que isso, enquanto o padrão de vida de quem ganha mais vai subir menos do que isso, podendo até diminuir!

Agora, vamos ver como fica essa equação quando chega um filho.

O "problema" do filho é que ele não gera renda. Então, é mais um ser que precisa ter determinado padrão de vida, mas que não colabora para tal. Vamos supor que o ganho de escala seja o mesmo, ou seja, o filho representa 0,6 adicional de gastos. Ficamos, então, assim:

Antes do filho:
1,8 de renda para 1,6 pessoa → padrão de vida de 1,125

Depois do filho:
1,8 de renda para 2,2 pessoa → padrão de vida de 0,818

Note que, e isso é importante, mesmo com a chegada do filho, o casal não deixa de poupar 10% de sua renda. É muito tentador reduzir a poupança com o objetivo de preservar o padrão de vida. Se isso acontecer, teremos o pior dos dois mundos: uma poupança acumulada menor para financiar um padrão de vida mais alto no futuro. Não costuma dar muito certo...

Claro que esse cálculo é somente para efeito de ilustração, pois não sabemos qual a exata queda no padrão de vida. E, principalmente, estamos medindo o padrão de vida como um montante de dinheiro per capita. Não pretendo jamais igualar padrão de vida com felicidade. Este é um outro conceito, para o qual não temos medida. A chegada de um filho aumenta em muito a felicidade do casal, o que mais do que compensa a queda no padrão de vida. Posso dizer isso com propriedade, pois experimentei esse efeito sete vezes. O ponto aqui está restrito tão somente ao dinheiro que sobra no final do mês.

Agora, vamos dar um passo à frente. Vamos imaginar que já se passaram 25 anos, e o filho desse casal sai de casa. Lembre que, durante esses 25 anos, o casal poupou 0,2 de renda todo mês. Após 25 anos, acumulou 60 unidades monetárias (estou considerando juro zero, para simplificar). Digamos que, neste momento, o casal chegue à conclusão de que está na hora da independência financeira. Tendo acumulado 60 e com um padrão de 0,818, será possível viver 73 meses com esse dinheiro (novamente, não estou considerando taxa de juros).

Agora, vamos ao exemplo do casal que não teve filhos. O seu padrão de vida é de 1,125. Como economizou os mesmos 60 durante os 25 anos, poderá viver apenas 53 meses mantendo o mesmo padrão de vida.

Algumas perguntas poderiam ser feitas. Por exemplo: será que, com a saída do filho de casa, o padrão de vida não aumentará? Isso é bem comum. Os casais que têm filhos que saem de casa ou terminam a idade escolar experimentam uma folga no orçamento que é normalmente utilizada para aumentar o padrão de vida. Esta é uma oportunidade de ouro desperdiçada: em vez de aumentar o padrão de vida, o casal poderia usar essa folga para aumentar o nível da poupança, garantindo o mesmo padrão de vida por mais tempo no futuro.

Outra questão é: o casal sem filhos não poderia diminuir o seu padrão de vida depois da independência financeira? Sim, isso é o que acontece muitas vezes, mas envolve um sofrimento que o casal com filhos não tem, ou tem de maneira minimizada, pois o padrão de vida já era menor. Diminuir o padrão de vida sempre é muito complicado e envolve escolhas desconfortáveis.

A decisão de ter filhos ou não extrapola qualquer consideração de ordem financeira. Envolve aspectos psicológicos, afetivos, de ordem social, enfim, vários outros fatores que influenciam essa decisão. A questão financeira, no entanto, também é normalmente colocada como um potencial empecilho para a decisão de ter filhos, justamente porque, na prática, rebaixará o padrão de vida do casal.

O que pretendi demonstrar aqui é que o rebaixamento do padrão de vida pode ser um aspecto positivo, não negativo, na vida financeira do casal, se considerarmos a independência financeira como um objetivo desejável. Claro que sempre queremos maximizar o nosso padrão de vida a todo momento. Mas, se fizermos isso, as oscilações serão grandes, podendo até ser insuportáveis, principalmente quando se trata de não ter mais nenhuma fonte de renda. A suavização das oscilações no padrão de vida é um objetivo tão ou mais importante do que maximizar esse padrão. E, para isso, ter filhos pode ser uma ajuda importante.

Estou sugerindo que é mais importante manter o nível de riqueza do que buscar aumentá-lo? Sim. Este é o grande paradoxo da riqueza: ela nunca é suficiente, sempre queremos mais. Então, o pobre quer ser rico e o rico quer ser ainda mais rico. Como há um limite material para isso, o melhor a fazer é conformar-se com o nível de riqueza que se tem. Não deixar que o atual padrão de vida diminua é mais importante do que o aumentar, qualquer que seja o nível. É disso que se trata.

O seu trabalho é entediante?

Não sei se você percebeu, mas quando nos referimos à independência financeira estamos falando, na verdade, de aposentadoria. Ou seja, largar a sua atual atividade e dedicar-se ao que realmente gosta de fazer. E supondo que essa atividade não lhe gera renda suficiente para manter o seu padrão de vida. Por isso, você precisa de uma poupança acumulada.

Mas, afinal, por que você não pode continuar trabalhando e ganhando dinheiro fazendo exatamente o que faz hoje? Você já notou que grandes empresários e políticos não se aposentam? Tenho certeza de que você já fez o seguinte raciocínio: "Se eu tivesse um décimo da fortuna de fulano, eu já teria parado de trabalhar há muito tempo!". Por que você acha que "fulano" não para de trabalhar? Certamente não é porque precise daquela renda para manter o padrão de vida. A fortuna acumulada provavelmente daria para sustentar não só o padrão de vida do próprio empresário como também o de várias gerações subsequentes. Então, o empresário não para de trabalhar porque, provavelmente, não quer.

Vejamos o exemplo de Warren Buffett. Ele trabalha com investimentos de longo prazo e é um dos cinco homens mais ricos do mundo. Nasceu em 1930 e continua trabalhando todos os dias. Pode-se considerar o seu padrão de vida como espartano, dada a sua fortuna.

Como Buffett, há muitos empresários que simplesmente não deixam de dar expediente em suas empresas. O mesmo observamos com relação aos políticos. Churchill, por exemplo, terminou seu último mandato como primeiro-ministro do Reino Unido aos 81 anos, e mesmo assim contra a sua própria vontade. Em 2020, tivemos uma eleição nos Estados Unidos com os mais idosos candidatos da história, Donald Trump com 74 anos e Joe Biden com 78 anos. Aliás, Biden é o presidente eleito mais idoso da história dos Estados Unidos. Será que estão pensando em aposentadoria?

Às vezes, o desejo de independência financeira esconde uma frustração com o trabalho que temos. Pensamos na independência financeira como uma válvula de escape que nos liberte daquele suplício diário que é o nosso trabalho. E, claro, sem rebaixar o nosso padrão de vida, pois ninguém é de ferro!

Essa frustração pode até servir para impulsionar nossos esforços em direção à independência financeira. Mas, muito provavelmente, outras frustrações se seguirão. A razão é simples: em geral, precisamos de muitos anos para construir um patrimônio capaz de nos prover independência financeira. E se, durante esses longos anos, continuarmos a odiar o trabalho que temos, o melhor talvez seja procurar outro. Ou, o que normalmente é a melhor solução, tratar de gostar desse trabalho que temos mesmo.

A rotina acaba desgastando qualquer relacionamento. Isso vale para o trabalho também. As mesmas tarefas, os mesmos colegas, o mesmo chefe, durante anos, resultam em uma fadiga natural. Não quer dizer, necessariamente, que o relacionamento seja ruim. Talvez o problema seja uma questão de mudar o foco, tentar fazer o dia a dia parecer diferente com pequenas atitudes. Bem, mas este não é um livro de coaching empresarial, então não vou ficar dando conselhos corporativos. Meu único objetivo é alertar para o risco de buscar a independência financeira pressionado por um fator que pode levar a decisões erradas. Por exemplo, assumir mais risco do que o que seria adequado somente para "acelerar" o processo.

A busca pela independência financeira (ou o preparo para a aposentadoria) é um processo longo, que exige disciplina e paciência. Lamento informar que você não vai se livrar tão cedo do seu trabalho com isso. É bom se acostumar com ele.

O canto das sereias

O problema de investir a longo prazo visando à sua independência financeira é que, um dia, você realmente vai ter muito dinheiro. Mas muito dinheiro *mesmo*. Muito mais do que você pode gastar em 1 ou 2 meses. Dinheiro suficiente, por exemplo, para mudar da atual espelunca onde você mora para um apartamento muito mais ajeitado.

Isso acontece porque, depois de 20 anos juntando dinheiro com disciplina e aplicando em investimentos mais ou menos rentáveis, é natural que se tenha um montante respeitável. Fazendo uma conta simples: se uma pessoa separa e investe 10% de seu salário religiosamente todo mês, em investimentos que rendem 2% ao ano além da inflação, depois de 20 anos essa pessoa terá juntado o equivalente a quase dois anos e meio de salários. E, depois de 30 anos, esse montante terá se elevado a mais de quatro anos de salários!

Com toda essa dinheirama à mão, é tentador usá-la para, digamos, "resolver problemas". Usar um pouco aqui, um pouco ali, até que, quando caímos em nós, o dinheiro que serviria para a nossa independência financeira foi gasto em outras coisas. E, aqui, são dois os problemas: primeiro, gastamos o dinheiro; segundo, aumentamos o nosso padrão de vida, o que torna mais difícil sair da corrida dos ratos.

O segredo para manter intacta a poupança da nossa independência financeira é trancá-la em investimentos sem liquidez. Dessa maneira, evita-se o chamado *canto das sereias*.

Na *Odisseia*, Ulisses precisa passar com seu navio por um lugar habitado por sereias antropófagas, que encantam os marinheiros com seu canto para os devorar. Ulisses faz os seus homens colocarem cera nos próprios ouvidos, mas, querendo ouvir ele próprio o canto das sereias, pede que seus marinheiros o amarrem ao mastro do navio e não o retirem de lá por nada deste mundo. Enquanto seu navio passa pelo lugar, ele ouve o canto e implora para ser solto. Mas os marinheiros, com cera nos ouvidos, não o escutam, e então eles passam incólumes.

Em nossos investimentos de longo prazo, precisamos de algum truque que nos amarre ao mastro do navio dos nossos investimentos. As sereias do consumo estarão sempre lá, com suas vozes sedutoras, mas temos que permanecer firmes em nossa disposição de conquistar a independência financeira. Como não existe força de vontade no mundo que vença esse tipo de tentação, é preciso encontrar formas de nos amarrar ao mastro.

Uma maneira clássica de fazer isso é imobilizar o dinheiro. Comprar um imóvel para investimento faz com que esse dinheiro fique inacessível.

Podemos usufruir do aluguel que o imóvel eventualmente gera, mas não do dinheiro investido na compra do imóvel. A óbvia desvantagem desse tipo de solução é que, quando você precisar do dinheiro, ele estará... imobilizado! Vender um imóvel não é tarefa simples, como sabemos, e o valor da venda é sempre uma surpresa. Claro, podemos manter o imóvel e viver do aluguel. Mas, para isso, é preciso poupar muito mais dinheiro, como veremos na seção seguinte.

Outra maneira de prender-se ao mastro é investir em PGBLs ou VGBLs com tributação regressiva. Sei que estou abusando de termos técnicos, mas não é difícil de entender. Os PGBLs ou VGBLs são uma espécie de fundo de investimento com regras especiais de tributação de seus rendimentos. Existem dois regimes de tributação quando você investe nesses fundos: o progressivo ou o regressivo.

No progressivo, os rendimentos dessas aplicações somam-se às suas rendas de outras fontes e são tributados pelas alíquotas normais de imposto de renda (normalmente acima de 10%). Já no regime regressivo, as alíquotas são fixas e variam de 35% a 10%, dependendo do tempo de investimento. Para usufruir da alíquota de 10%, o investidor precisa permanecer no investimento por, pelo menos, 10 anos. Essa é a amarra que prende o investidor ao mastro do navio do seu investimento. Reconheço que não é lá uma amarra muito forte, pois, se o investidor quiser mesmo usar o dinheiro, não será uma alíquota que vai segurar. Mas, tendo a consciência de que vai deixar de ganhar dinheiro, talvez pense duas vezes antes de realizar o resgate.

Investir em títulos de crédito costuma também funcionar como uma espécie de amarra. Como esses títulos (debêntures, CRIs, CRAs etc.) costumam não ter liquidez a não ser na data de vencimento, seu dinheiro fica preso por todo esse tempo. Claro que há o risco de o emissor não honrar o compromisso no vencimento, mas o risco faz parte de qualquer investimento. É preciso avaliá-lo da melhor maneira possível antes de fazer o investimento, mas não se deve deixar de fazê-lo somente pela falta de liquidez. Este é justamente o atrativo desse tipo de investimento, pensando como Ulisses passando a ilha das sereias.

Existem outros investimentos mais eficientes desse ponto de vista, mas que são acessíveis apenas a assalariados: os fundos de pensão fechados e o FGTS.

As grandes empresas costumam patrocinar o investimento em fundos de pensão para os seus funcionários. Há, inclusive, uma contribuição da própria empresa, o que acelera a constituição da poupança acumulada. E, além disso, costuma haver regras rígidas para o saque, que normalmente só pode ser feito depois que se encerra o vínculo empregatício. Esse dinheiro preso é justamente a amarra que prende o investidor ao mastro.

Por fim, o FGTS. Costumamos pensar nele como uma espécie de castigo: trata-se de uma despesa do empregador que não vai para o bolso do funcionário, rende pouco e fica preso. Por isso, sempre estamos pensando em formas de liberar o FGTS, sendo a mais comum a compra do imóvel próprio. Mas a pessoa que não consegue sacar o FGTS acaba tendo um montante respeitável após alguns anos. Trata-se de um dinheiro que comporá a poupança acumulada para a independência financeira, pois só conseguimos sacar depois de oficialmente aposentados, caso não consigamos ter sacado por nenhum outro motivo previsto na legislação.

Afinal, de quanto precisamos para conquistar a independência financeira?

Para abordar essa questão, você precisa responder a outras duas perguntas: 1) De quanto dinheiro você precisa para viver? 2) Quanto tempo você pretende viver?

A primeira é, de longe, a mais fácil de responder, e tem a ver com o padrão de vida que viemos comentando ao longo de todo este capítulo. Já a segunda, bem, a segunda parece ter sido feita por um lunático. Afinal, ninguém sabe por quanto tempo vai viver e muito menos determina esse tempo. Mas, infelizmente, para calcular de quanto dinheiro você precisa para viver somente de renda, você vai precisar dessa informação. Afinal, imagino que você não pretenda voltar a procurar um emprego porque o dinheiro acabou...

É conhecida a história de Jorge Guinle, que viveu de sua fortuna até acabar e teve que morar de favor no Copacabana Palace no final de sua vida. A frase que resume a sua vida é: "O segredo do bem viver é morrer sem um centavo no bolso. Mas errei o cálculo e o dinheiro acabou antes da hora". Guinle morreu aos 88 anos, muito acima da esperança matemática de vida da população brasileira da época.

Para conquistar a independência financeira, você precisa ter alguma segurança de que aquele dinheiro acumulado durará até o fim de sua vida. Como fazer isso? Existem basicamente três maneiras.

A primeira é usando o dinheiro acumulado para comprar uma renda vitalícia. Isso é possível investindo em um PGBL ou VGBL que conte com essa alternativa. Entrando em um site de uma seguradora que oferece a renda vitalícia, obtive as seguintes informações:[10]

Ao se aposentar, você terá um total estimado de:

R$ 2.509.813,47

Com base no seu modelo de declaração de Imposto de Renda, sugerimos um plano PGBL. **Saiba mais**

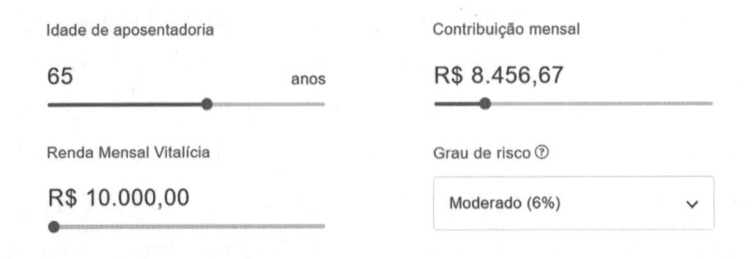

Idade de aposentadoria
65 anos

Contribuição mensal
R$ 8.456,67

Renda Mensal Vitalícia
R$ 10.000,00

Grau de risco
Moderado (6%)

---

10 Consulta realizada no site https://icatuseguros.com.br em 2 jan. 2021.

Funciona como se tivéssemos comprado uma espécie de "seguro renda" no valor de R$ 10.000 mensais. O prêmio desse seguro foi de R$ 2.509.813,47. Ou seja, gastamos esse dinheiro para garantir R$ 10.000 mensais desde os 65 anos (idade da nossa aposentadoria) até o fim da vida, seja lá quando ele se der. Vamos guardar esse número.

A segunda alternativa é fazer um cálculo considerando uma data possível de morte. Digamos que a nossa expectativa de vida seja de 95 anos. Ou seja, esperamos falecer 30 anos após a data da nossa aposentadoria, aos 65. O que seria possível fazer com R$ 2.509.813,47? Vamos pressupor um retorno dos nossos investimentos de 2% ao ano acima da inflação, líquido de impostos. Em um passado não muito distante, tal nível de taxa de juros não era considerado muito alto. Entretanto, no momento em que estou escrevendo, início de 2021, esse nível de rendimento é desafiador. Com ele, seria possível gerar rendimentos de R$ 9.254 por mês durante 30 anos ou de R$ 10.000 durante cerca de 27 anos. Para gerar os R$ 10.000 durante 30 anos, seria necessária uma taxa de juros de aproximadamente 2,6% ao ano acima da inflação, líquido de impostos.

Vemos que chegamos a números semelhantes àqueles prometidos pela seguradora. Apenas a título de curiosidade, a seguradora usou uma expectativa de sobrevida de 23 anos após os 65 anos da aposentadoria, que é o que indicam as estatísticas brasileiras atualmente. Isso implica uma taxa de juros de 0,84% ao ano acima da inflação. Uma estimativa conservadora, como vemos.

Agora, o ponto fundamental desse raciocínio é que temos que estimar uma data para a nossa morte. Se errarmos, seja porque os nossos investimentos rendem menos do que os 2,6% anuais necessários, seja porque simplesmente vivemos mais, pode faltar dinheiro no final da nossa vida.

Podemos fazer um cálculo que, pelo menos, elimina o risco da sobrevida. Esta é a terceira alternativa de cálculo que mencionamos: consideramos que vamos viver eternamente e retiramos da nossa poupança apenas o suficiente para manter intacta a poupança acumulada.

Ou seja, retiramos os rendimentos gerados e deixamos o principal sempre lá. No exemplo com que estamos trabalhando, seria necessária uma taxa de juros de 4,9% acima da inflação e líquido de impostos para que retirássemos R$ 10.000 por mês sem que o dinheiro acabasse um dia. Ou, de outro modo, precisaríamos ter acumulado uma poupança de aproximadamente R$ 6.000.000 (em vez dos R$ 2.500.000 do exemplo) para poder retirar R$ 10.000 por mês com uma taxa de juros de 2% ao ano acima da inflação e líquido de impostos.

Essa terceira forma de fazer o cálculo, em que eliminamos o risco de sobrevivência, nos dá uma noção de quanto custaria fazer isso. Mesmo considerando uma expectativa de, digamos, 120 anos de vida, que, para todos os efeitos, é equivalente à eternidade, dado que raros são os que chegam a essa idade, a taxa de juros necessária seria de 4,4% ao ano acima da inflação e líquida de impostos, não muito abaixo dos 4,9% do cálculo considerando vida eterna.

Todos esses cálculos foram feitos para nos dar uma noção de quanto custa a nossa eternidade de liberdade financeira. A alternativa de terceirizar esse risco para uma seguradora é bastante atrativa. Não nos esqueçamos, porém, de que não existe alternativa sem risco. Neste caso, o risco passa a ser não a nossa sobrevivência, mas a sobrevivência da própria seguradora. Se a seguradora quebrar antes de você morrer, adeus renda. A não ser que seja assumida por outra companhia disposta a bancar os compromissos contratados pela que desapareceu. Por isso, as seguradoras pertencentes a grandes grupos financeiros costumam oferecer renda menor do que as seguradoras menores. É o custo da segurança da renda ao longo do tempo.

Claro que tudo isso considera que saibamos quanto realmente será necessário para manter nosso padrão de vida ao longo do tempo. Podemos errar também aí. Enfim, são muitas variáveis a serem consideradas.

Antigamente, não se tinha muita preocupação a esse respeito. Em primeiro lugar, porque as pessoas viviam menos, a eternidade era curta. Em segundo lugar, porque, para a maior parte das pessoas, a pensão do INSS era mais do que suficiente para manter o seu padrão de vida. Inclusive, muitos idosos no Brasil são o esteio financeiro de suas famílias, dado que o valor da aposentadoria é maior do que o salário médio da população. Por fim, os filhos às vezes fazem o papel de "fundo de pensão" dos pais. Muitos pais dependem da renda dos filhos para sobreviver. Não acho que isso seja uma vergonha. Afinal, se os pais se desdobraram para educar os filhos e, para isso, gastaram um dinheiro que acabou por fazer falta em sua velhice, nada mais justo do que os filhos ajudarem os pais nesta fase da vida.

CAPÍTULO 6
Pequenas decisões, grandes dilemas

> Em nosso dia a dia, deparamo-nos com várias decisões que envolvem dinheiro. Algumas são triviais, outras são ardilosas, algumas envolvem pequenas quantias, outras ainda podem decidir sobre a saúde financeira da família. Vamos ver, aqui, alguns desses dilemas e procurar entender o processo para tomar as melhores decisões. Veremos que nem sempre isso é possível, pois não temos todos os dados. Mas, pelo menos, diminuiremos a nossa chance de errar.

Alugar ou comprar um imóvel?

Comprar um imóvel para moradia provavelmente é a decisão mais importante da vida de qualquer família. Trata-se de uma conquista: a casa própria! Mas conquistar a casa própria, como tudo na vida, tem o seu custo. E, como tudo o que tem custo, é preciso perguntar-se: vale a pena?

Comprar ou não a casa própria envolve decisões em três dimensões: a dimensão psicológica, a dimensão da conveniência e a dimensão financeira.

A *dimensão psicológica* é a mais importante. Ter um teto para morar vale qualquer custo. Os cálculos que mostraremos em seguida praticamente não fazem sentido, quando se considera a segurança de ter "onde cair morto", como se diz. Este é, de longe, o principal motivo pelo qual as pessoas buscam comprar uma casa própria, ainda que inconsciente.

Minha esposa, por exemplo, nem sequer ouve quando começo a tentar explicar por que seria melhor, financeiramente, alugar um imóvel do que comprar. Há uma espécie de bloqueio mental que a impede de processar essa informação.

Na *dimensão da conveniência*, precisamos ponderar duas conveniências antagônicas:

- Se moramos de aluguel, podemos mudar para onde quisermos no momento em que quisermos. Temos muito mais liberdade de ação. Imagine poder morar mais perto do trabalho, por exemplo.
- Por outro lado, morar em um imóvel alugado não nos permite modificá-lo ao nosso gosto. Qualquer reforma mais radical precisa ser aprovada pelo proprietário. E, o que é pior, não será incorporada ao nosso patrimônio, será um dinheiro "jogado fora", como se diz comumente.

Se você passou pelas dimensões anteriores e, ainda assim, está na dúvida, vamos à terceira, a *dimensão financeira*. Na verdade, é a dimensão que coloca um preço na segurança psicológica e na conveniência. Às vezes essa segurança sai caro, muito caro.

Para começar, precisamos entender que, ao comprar um imóvel, teremos duas fontes de renda: 1) o aluguel que deixamos de pagar; e 2) a valorização do imóvel. Portanto, o valor usado na compra deve ser comparado com o aluguel que pagaríamos em um imóvel semelhante e com a valorização do imóvel. Para facilitar as contas, vamos pressupor que o imóvel vai valorizar-se de acordo com a inflação no longo prazo. Sendo assim:

rentabilidade do imóvel = inflação + aluguel

Vejamos um exemplo prático (e real!):

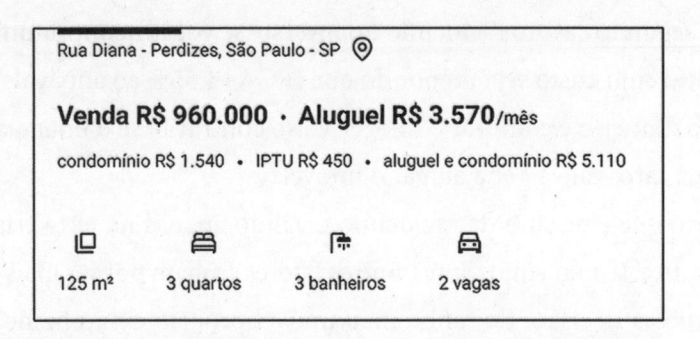

> Rua Diana - Perdizes, São Paulo - SP
>
> **Venda R$ 960.000 · Aluguel R$ 3.570/mês**
>
> condomínio R$ 1.540 · IPTU R$ 450 · aluguel e condomínio R$ 5.110
>
> 125 m²   3 quartos   3 banheiros   2 vagas

Esse anúncio foi retirado de um site de imóveis em agosto de 2019. Se o proprietário recebesse R$ 960.000 pela venda do imóvel, ele poderia aplicar esse dinheiro no mercado financeiro e receber um rendimento. Caso contrário, ele alugaria o imóvel e receberia o valor do aluguel + condomínio + IPTU, R$ 5.560 por mês.

No entanto, o ponto de vista que nos interessa é o de quem está decidindo entre comprar ou alugar. Para tomar essa decisão, há duas hipóteses:

1) Você tem os R$ 960.000 na mão e está decidindo se compra o imóvel ou aplica esse dinheiro no mercado financeiro.
2) Você não tem os R$ 960.000 e precisa tomar um financiamento para comprar o imóvel.

Vamos ao primeiro caso. Se você comprar o imóvel, vai economizar o aluguel (o condomínio e o IPTU continuam sendo por sua conta). Em relação ao valor do imóvel, o aluguel representa 0,37% ao mês ou 4,55% ao ano.[11] Portanto, se você encontrar uma aplicação financeira que pague mais do que IPCA+4,55% ao ano, você deve alugar o imóvel e deixar o seu dinheiro aplicado no mercado. Caso contrário, vale mais a pena comprá-lo, pois o seu dinheiro vai render mais ao poupar o valor do aluguel.

---

11 Para calcular a taxa, basta dividir o aluguel pelo valor do imóvel. Para calcular a taxa anual, basta elevar o resultado a 12.

No segundo caso, o raciocínio é o inverso: se você encontrar um financiamento cujo custo seja menor do que IPCA+4,55% ao ano, vale a pena pegar o dinheiro e comprar o imóvel. Caso contrário, se o financiamento for mais caro, vale a pena alugar o imóvel.

Claro que esse tipo de raciocínio é válido apenas na letra fria da lei matemática. Como vimos antes, outros fatores acabam por ser mais importantes nessa decisão. Eu tenho meu imóvel próprio e não fiz nenhuma conta para concluir que deveria comprá-lo.

Dois carros, um carro, zero carro?

O padrão da família classe média brasileira é ter dois carros na garagem, um para o marido e o outro para a esposa. Eu também passei anos com esse padrão sem pensar muito no assunto. Afinal, padrão é padrão; se todo mundo faz isso, deve ser o certo. Até que a recessão de 2015 fez-me repensar todo esse modelo. Precisava fazer um ajuste fiscal em meu orçamento, e a venda de um dos carros era uma alternativa poderosa para eliminar despesas.

Resolvi colocar em prática essa experiência. Vendi um dos dois carros da família e passei a usar o transporte público. Veja a seguir o gráfico de minhas despesas mensais com transporte, englobando combustível, oficina, IPVA, táxi, ônibus, metrô, estacionamento etc. Além disso, para que as despesas anuais fossem consideradas mensalmente, fiz uma média móvel de 12 meses. Ou seja, cada ponto é a média mensal de gastos com transporte nos 12 meses anteriores. Por fim, atualizei os gastos pelo IPCA do período, de modo a poder comparar de maneira justa pontos distantes no tempo.

Transporte

[Gráfico de linha mostrando gastos com transporte de jan/14 a out/15, com valores no eixo Y de 3000 a 7000. A linha começa em aproximadamente 6500 em jan/14 e decresce até estabilizar em pouco acima de 3000 em out/15.]

Deixei de usar o segundo carro em novembro de 2014. Observe como a média de gastos de 12 meses vai caindo de aproximadamente R$ 5.000 até estabilizar-se um pouco acima de R$ 3.000.

Não se trata de deixar o carro de lado e ficar em casa. Todas as necessidades de transporte da família continuaram a ser atendidas. Ou seja, se cada carro tinha uma despesa de R$ 2.500, podemos dizer que substituí uma despesa de R$ 2.500 por outra de R$ 500, economizando quase R$ 2.000/mês, na média. E note que essa poupança não considera o custo de capital: pude aplicar o resultado da venda do carro no mercado financeiro.

Mas nada vem de graça. Obviamente, para ter essa renda extra, tive de abrir mão de um conforto diário e passar a usar transporte público. No meu caso, trem e ônibus. Antes de comentar sobre essa experiência, permitam-me uma breve digressão sociológica.

Por força de meus compromissos profissionais, fui algumas vezes ao Japão. Na primeira vez que estive lá, a secretária da empresa apresentou-me algumas alternativas de passeios turísticos, todos eles com referências de estações de metrô ou trem. Então, ela disse-me algo que me marcou: "Aqui no Japão, a tradição é andar de trem. Todo mundo anda de trem".

E é verdade: todos naquele escritório, do analista mais júnior ao presidente, iam para o trabalho de trem e metrô. Certa vez, conversando com um dos diretores daquela empresa, ele perguntou-me se o meu escritório estava bem localizado. Eu, do alto da arrogância de quem trabalhava na Faria Lima com a JK (para quem não conhece São Paulo, trata-se do novo centro financeiro da cidade, onde estão os escritórios de mais alto padrão), respondi que meu escritório estava, sim, muito bem localizado. No que ele respondeu: então deve ser muito próximo de uma estação do metrô. Não, tive que responder. Na verdade, está bem longe de qualquer estação de metrô. E, então, percebi o conceito japonês de "bem localizado": perto de uma estação de metrô.

No livro *Big Short*, de Michael Lewis, que deu origem ao filme *A grande aposta*, há um trecho em que o autor classifica a fauna de Wall Street com base nas roupas e nas atitudes das pessoas no metrô. Ou seja, todos vão de metrô para o trabalho em Nova York, mesmo os executivos mais bem-sucedidos do mercado financeiro.

No Brasil, não. Aqui, herdamos a cultura da fidalguia, em que a elite não se mistura com o povo. O carro, sem dúvida, proporciona um conforto. Mas há algo a mais: temos vergonha de andar de ônibus ou trem. Se algum conhecido nos vir pegar um ônibus, o que vai pensar? Esta é, talvez até mais do que abrir mão do conforto, a maior barreira para que a classe média use o transporte público.

Alguns podem dizer que o transporte público é de péssima qualidade. Para quem mora nas partes mais nobres da cidade, não. A lógica é simples: as linhas de ônibus, trem e metrô são mais densas nas partes mais ricas, onde a maioria das pessoas trabalha. Para quem mora na periferia das cidades, o transporte público, infelizmente, costuma ser precário mesmo. No entanto, para quem mora nas partes mais nobres das cidades, ele poderia muito bem substituir o carro.

Outra resistência é a lotação. De fato, dependendo do horário, não é possível entrar em um vagão de trem ou metrô. A solução é fazer horários alternativos. Atrasar em meia hora a saída do escritório pode fazer uma grande diferença na lotação do trem. Chegar mais cedo e sair mais tarde é um preço a pagar por quem quer usar o transporte público.

Outro ponto negativo são as eventuais panes no sistema. Trens e metrô param quando chove muito, por exemplo (ainda vou entender por quê). Nesses dias, o táxi ou o Uber estão aí para isso mesmo. O mesmo pode-se dizer para aqueles dias em que chove e não queremos nos molhar. Pegar um táxi de vez em quando não quebra ninguém. Afinal, estamos economizando bastante do outro lado. O gráfico acima já considera eventuais táxis utilizados.

Mas não é só de pontos negativos que o transporte público é feito. Por exemplo, é impagável a sensação de liberdade quando, ao sair do escritório a pé em direção à estação de trem, observo aquele mar de carros parados em um típico congestionamento monstro em São Paulo. Outro ponto positivo é que se anda mais a pé, o que é bastante saudável.

Além disso, pela manhã, consigo ler o jornal todo no meu iPad, no trajeto do ônibus de minha casa até o meu escritório, coisa que antes era impossível. Alguns podem dizer que se trata de um hábito perigoso. Se é perigoso, eu não sei. Faz muitos anos que o tenho, e nunca aconteceu nada.

Hoje, não sei se voltaria a comprar um segundo carro, mesmo tendo espaço no orçamento para tanto. Acostumei-me com a nova rotina, deixando para trás o estresse de dirigir em uma grande cidade. O caminho é tão sem volta que resolvi mudar-me para um lugar mais bem localizado. No caso, o conceito japonês de "bem localizado": próximo de uma estação do metrô.

E quanto a abandonar o segundo carro também? É possível, mas então a economia seria menor, pois a substituição pelo táxi/Uber seria mais intensa. Além disso, a flexibilidade que um carro na garagem proporciona é, em algumas ocasiões, insubstituível. Enfim, penso que cada família conseguirá encontrar o seu ponto de equilíbrio. Minha intenção aqui foi somente compartilhar uma experiência pessoal que pode servir para outras famílias.

Comprar parcelado ou à vista?

O Brasil é, provavelmente, o único país do mundo onde se oferece o tal "parcelado sem juros". Neste caso, a decisão de comprar parcelado ou à vista, do ponto de vista estritamente financeiro, é muito simples: como o dinheiro tem valor no tempo, comprar parcelado sempre será mais vantajoso. Claro que a dimensão financeira não é a única que deve ser considerada na tomada desse tipo de decisão. Se você é uma pessoa que não consegue ter um controle muito estreito do seu orçamento, comprar parcelado pode tornar-se uma armadilha. As parcelas "cabem no salário", mas esquecemos que já há outras parcelas sendo pagas. Entramos no cheque especial sem saber muito o porquê. É a soma das parcelas que está ultrapassando em muito a nossa renda. Portanto, cuidado com o "parcelado sem juros"!

Vou aqui comentar outro caso, menos comum, quando a loja lhe oferece a possibilidade de comprar por um preço menor à vista do que parcelado. Isso acontece todo ano, por exemplo, no pagamento do IPVA: os governos normalmente oferecem um desconto para pagamento à vista. E então vem a pergunta: o desconto oferecido vale a pena?

A tabela a seguir vai nos dar a resposta:

		Taxa de juros (custo de oportunidade)						
		0,10%	0,50%	1,00%	2,00%	3,00%	4,00%	5,00%	10,00%
Número de parcelas	2	0,05%	0,25%	0,50%	0,98%	1,46%	1,92%	2,38%	4,55%
	3	0,10%	0,50%	0,99%	1,95%	2,88%	3,80%	4,69%	8,82%
	4	0,15%	0,74%	1,48%	2,90%	4,28%	5,62%	6,92%	12,83%
	5	0,20%	0,99%	1,96%	3,85%	5,66%	7,40%	9,08%	16,60%
	6	0,25%	1,24%	2,44%	4,78%	7,00%	9,14%	11,18%	20,15%
	7	0,30%	1,48%	2,92%	5,69%	8,33%	10,83%	13,20%	23,50%
	8	0,35%	1,72%	3,40%	6,60%	9,62%	12,47%	15,17%	26,64%
	9	0,40%	1,97%	3,87%	7,49%	10,89%	14,08%	17,08%	29,61%
	10	0,45%	2,21%	4,34%	8,38%	12,14%	15,65%	18,92%	32,41%
	11	0,50%	2,45%	4,81%	9,25%	13,36%	17,17%	20,71%	35,05%
	12	0,55%	2,69%	5,27%	10,11%	14,56%	18,66%	22,45%	37,54%

Como essa tabela funciona? É simples. Em primeiro lugar, você precisa saber qual o seu "custo de oportunidade", ou seja, o que você faria com o dinheiro do desconto caso optasse por ele. Há dois cenários:

1) Se você tem aplicações financeiras, o seu "custo de oportunidade" é a taxa que você obtém nas suas aplicações. Por exemplo, no momento em que estou escrevendo este capítulo, a rentabilidade da caderneta de poupança é de aproximadamente 0,1% ao mês.

2) Se, por outro lado, você vai tomar dinheiro emprestado para pagar a compra (procedimento não recomendável, mas pode ser uma necessidade premente), o seu custo de oportunidade é a taxa de juros do empréstimo. Por exemplo, um crédito pessoal sai na faixa de 1%-3% ao mês, enquanto o cheque especial pode te cobrar até 10% ao mês.

Com esse dado na mão, você vai na linha do número de parcelas e vê o desconto que corresponde ao seu custo de oportunidade. Aqui, também temos dois cenários:

1) Se você tem aplicações financeiras, esse desconto é o *mínimo* que você deve exigir para comprar à vista. Um desconto menor significa que vale a pena deixar seu dinheiro no banco rendendo e comprar a prazo.
2) Se você vai tomar um empréstimo para adquirir o bem, o desconto da tabela também é o *mínimo* que você deve exigir. Um desconto menor significa que os juros embutidos na parcela são maiores do que os juros do seu empréstimo.

Vamos exemplificar com o caso do pagamento do IPVA. Normalmente, o IPVA pode ser pago à vista com desconto de 3%, ou em três vezes pelo valor cheio. Vejamos os dois cenários:

1) Digamos que você esteja com o seu dinheiro na caderneta de poupança, rendendo um pouco mais do que 0,1% ao mês. Consultando a tabela no cruzamento do 0,1% com três parcelas, encontramos o desconto mínimo de 0,1%. Portanto, um desconto de 3% vale muito a pena.

Para que a coisa não pareça uma caixa-preta, veja a seguir um exemplo de um IPVA no valor de R$ 1.000, ou R$ 970 com desconto.

- Mês 1: você tem hoje R$ 970 para pagar à vista, mas resolve pagar a prazo. Paga a primeira parcela de R$ 333,33 e aplica os restantes R$ 636,67 na poupança.
- Mês 2: os seus R$ 636,67 aplicados na poupança renderam 0,1%, o que dá R$ 637,31. Você então resgata R$ 333,33 para pagar a segunda parcela, e restam na poupança R$ 303,98.
- Mês 3: os R$ 303,98 que restaram na poupança renderam mais 0,1%, resultando em um saldo de R$ 304,28. Como você deve R$ 333,33, vai ter que colocar do bolso mais R$ 29,05 para completar a parcela que falta do IPVA.

Portanto, neste exemplo, teria sido melhor pagar à vista, conforme a tabela demonstrou! Se o desconto fosse menor que 0,1% (que é o número da tabela), aí, sim, faria sentido pagar a prazo. Se, por outro lado, você estivesse em uma aplicação que lhe rendesse 4% ao mês (!), o desconto mínimo exigido seria de 3,8%. Portanto, neste caso, valeria pagar a prazo. Vejamos:

- Mês 1: você tem hoje R$ 970 para pagar à vista, mas resolve pagar a prazo. Paga a primeira parcela de R$ 333,33 e aplica os restantes R$ 636,67 na sua aplicação que rende 4% ao mês.
- Mês 2: os seus R$ 636,67 aplicados renderam 4%, o que resulta em R$ 662,14. Você então resgata R$ 333,33 para pagar a segunda parcela, e restam na poupança R$ 328,81.
- Mês 3: os R$ 328,81 que restaram na sua aplicação renderam outros 4%, resultando em um saldo de R$ 341,96. Você paga os R$ 333,33 da última parcela, e ainda lhe sobram R$ 8,63 para comprar um sorvete. Portanto, neste caso, valeu a pena pagar a prazo, pois o desconto oferecido não foi suficiente para compensar os juros de sua aplicação.

Vejamos agora o mesmo exemplo do IPVA, mas para alguém que vai usar o cheque especial para pagar. Como os juros do cheque especial são de 10% ao mês, o desconto mínimo oferecido deveria ser de 8,82%. Com um desconto de 3%, nem pensar em pagar à vista. Vamos comparar as duas formas de pagamento mês a mês:

Pagamento à vista

- Mês 1: você toma emprestado R$ 970 no cheque especial e paga o IPVA à vista.
- Mês 2: os seus R$ 970, com os juros de 10% ao mês, viraram um saldo devedor de R$ 1.067.

- Mês 3: os seus R$ 1.067, com mais 10%, resultaram em um saldo devedor final de R$ 1.173,70.

Pagamento a prazo

- Mês 1: você toma emprestado R$ 333,33 no cheque especial e paga a primeira parcela do IPVA.
- Mês 2: os seus R$ 333,33, com os juros de 10% ao mês, viraram um saldo devedor de R$ 366,66. Você toma mais R$ 333,33 no cheque especial para pagar a segunda parcela, totalizando um saldo devedor de R$ 699,99.
- Mês 3: os seus R$ 699,99, com os juros de 10% ao mês, viraram um saldo devedor de R$ 769,99. Você toma mais R$ 333,33 no cheque especial para pagar a terceira parcela, totalizando um saldo devedor final de R$ 1.103,32.

Comparando os dois saldos finais, vemos claramente que o pagamento a prazo, neste caso, é largamente superior.

E se o desconto para pagamento à vista fosse de 9% em vez de 3%? A nossa tabela diz então que valeria a pena pagar à vista. Vejamos:

Pagamento à vista

- Mês 1: você toma emprestados R$ 910 (9% de desconto sobre o valor à vista) no cheque especial e paga o IPVA à vista.
- Mês 2: os seus R$ 910, com os juros de 10% ao mês, viraram um saldo devedor de R$ 1.001.
- Mês 3: os R$ 1.001, com mais 10% de juros, resultam em um saldo devedor final de R$ 1.101,10.

Pagamento a prazo

- Mês 1: você toma emprestados R$ 333,33 no cheque especial e paga a primeira parcela do IPVA.

- Mês 2: os seus R$ 333,33, com os juros de 10% ao mês, viraram um saldo devedor de R$ 366,66. Você toma mais R$ 333,33 no cheque especial para pagar a segunda parcela, totalizando um saldo devedor de R$ 699,99.
- Mês 3: os seus R$ 699,99, com os juros de 10% ao mês, viraram um saldo devedor de R$ 769,99. Você toma mais R$ 333,33 no cheque especial para pagar a terceira parcela, totalizando um saldo devedor final de R$ 1.103,32.

Ou seja, desta vez, valeu mais a pena pagar à vista.

Uma observação final importante: essa tabela funciona quando o pagamento da primeira parcela ocorre na data da compra. Se o financiamento ocorrer sem entrada, então as taxas da tabela são um pouco maiores, pois o desconto que está sendo dado pelo lojista é maior.

CAPÍTULO 7
A educação financeira dos filhos

> Quando se tem sete filhos, é natural que as pessoas questionem como faço para sustentar uma família tão grande. Como toda tarefa complexa, trata-se de um trabalho em equipe. Os filhos também precisam fazer a sua parte. Em resumo, essa foi a educação financeira que dei aos meus filhos: ajudar a sustentar uma família grande. Mas, mesmo que sua família não seja tamanho-família, as experiências que vou compartilhar aqui também podem ser úteis.

Se eu pudesse resumir todas as lições a seguir em uma só, seria a seguinte: eduque seus filhos na escassez. Este é o mundo que vão encontrar quando se tornarem adultos. Claro que escassez significa coisas diferentes para famílias com rendas diferentes. Cada família sabe onde o próprio calo aperta. Mas a regra geral continua a mesma: os filhos precisam ter consciência de que o dinheiro é finito e não dá para ter tudo o que se quer no momento em que se quer.

Outra regra geral, que vale não somente para finanças, mas para todos os outros aspectos da vida: Frei Exemplo é o melhor pregador. Se os pais não conseguem viver dentro dos seus limites orçamentários, muito dificilmente vão conseguir passar essa noção para os seus filhos. Já é uma tarefa difícil com pais que fazem controle financeiro, imagine os que não fazem. Então, saiba que o seu esforço não serve somente para ter uma vida financeira saudável. Ele serve também para educar os seus filhos. Esse pode ser um poderoso estímulo para fazer a coisa certa.

O orçamento familiar

Como o próprio nome diz, o orçamento familiar pertence à família. Não é dos pais. O dinheiro ganho pelos pais não é dos pais, é da família. Os pais são apenas administradores. Este é um conceito importantíssimo, porque, quando os filhos se tornam adolescentes, vão cobrar o porquê de os pais poderem comprar isso ou aquilo e os filhos (no caso, eles) não poderem. Dizer que "o dinheiro é meu, eu faço o que eu bem entender, quando você ganhar o seu dinheiro você vai poder fazer o que você quiser" não é a melhor forma de lidar com essa situação.

Em primeiro lugar, porque não é verdade. Quando assumimos a tarefa de formar uma família, implicitamente aceitamos colocar a nossa renda para levar a família para a frente. A nossa renda não nos pertence mais, ela pertence à família. Em segundo lugar, não é a maneira mais pedagógica de lidar com a situação. Se quisermos que os filhos sejam responsáveis no futuro com o seu próprio dinheiro, passar a noção de que "fazemos o que bem entendermos com próprio dinheiro" não os leva a essa direção. Precisamos dar conta do que fazemos com o dinheiro, nem que seja para nós mesmos. Por fim, como administradores do orçamento, não podemos passar a impressão de "privilégios", muito menos para nós mesmos. Como poderemos cobrar de nossos governantes que não se autoconcedam privilégios se não fazemos o mesmo em casa? Alguém dirá que as situações são diferentes, pois os governantes gastam um dinheiro que não é deles, enquanto o nosso dinheiro é nosso, nós o ganhamos honestamente com nosso trabalho. Aí, entra novamente o conceito de administração: ao fundarmos uma família, nos tornamos administradores da nossa renda, que se torna renda familiar, não mais individual. A renda não é mais apenas nossa. Se não acabamos de entender isso, é melhor voltar duas casas no jogo da vida.

Tendo esse conceito de administração da renda familiar em mente, o pai ou a mãe que fazem um gasto consigo precisam, sim, justificá-lo diante dos filhos. Afinal, aquele gasto poderia ter sido feito com eles, e não com os pais. Esta justificação serve, inclusive, como um freio para gastos supérfluos, o que ajuda no controle do orçamento. Assim, se o pai comprou um iPhone do último tipo, precisará justificar como uma necessidade profissional, assim como a mãe que compra um vestido novo para uma festa. Qualquer coisa vista como um capricho será contestada pelos filhos adolescentes, sem dó nem piedade.

O orçamento familiar passa, então, a ser um meio de distribuir a cada um de acordo com a sua necessidade. Não se trata, portanto, de atribuir o mesmo orçamento para cada um, mas de fazer justiça distributiva, o que é outra coisa. O filho que tem mais necessidades vai custar mais caro do que o filho que tem menos necessidades. A poupança de longo prazo dos pais, para a sua própria aposentadoria, é também para os filhos, que terão menos despesas com os pais no futuro em função dessa poupança. Todos os gastos devem ter uma justificativa.

Alguém poderia perguntar: os filhos devem, então, participar da elaboração do orçamento familiar, uma vez que o dinheiro é também deles? Absolutamente não! A expressão "administradores do orçamento familiar" significa que são os pais os responsáveis por elaborar o orçamento, não os filhos. E isso porque os pais têm a visão do conjunto, enquanto os filhos olham apenas a sua parte. Além disso, crianças e adolescentes ainda não têm maturidade para entender que R$ 10.000 por mês de renda, por exemplo, não é muita coisa quando se trata de levar uma família para a frente. Ao tomarem conhecimento da renda total da família, as crianças ou os adolescentes comparam aquele valor com o custo de seus próprios desejos (um brinquedo ou um videogame ou uma roupa) e esquecem-se de que existem (ou simplesmente não sabem que existem) outros gastos tão importantes quanto ou mais, inclusive com eles mesmos. Portanto, não é prudente que os filhos saibam quanto os pais ganham.

Mas como, então, os filhos podem fazer parte do orçamento familiar? Fazê-los participar na elaboração do orçamento não seria uma boa oportunidade para ensinar-lhes um pouco de finanças pessoais? Não. A melhor forma de fazer isso é através da *mesada*.

A mesada

Mesada é um tema recorrente quando falamos de filhos. É bom dar? Quanto dar? A partir de que idade? São perguntas que a maioria dos pais faz quando seus filhos começam a pedir dinheiro.

Todas essas perguntas são boas, mas devem vir depois da resposta que damos à pergunta essencial: *para que serve a mesada*? Uma vez respondida esta pergunta, todas as outras respostas virão quase que automaticamente.

A minha resposta: *a mesada serve para educar os filhos na escassez*. Ou seja, para que os filhos aprendam que há limites para os gastos. Se eles não aprenderem desde cedo, fica mais difícil quando forem mais velhos. Com esse objetivo em mente, vamos responder às questões colocadas.

Em primeiro lugar, quando começar. Eu diria que nunca é cedo demais. Com isso, quero dizer que, quando essa questão se colocar, é que provavelmente chegou o momento. Em casa, começamos com cerca de 6 ou 7 anos de idade, quando a criança já tem uma noção de quanto custam as coisas. Mas há crianças mais espertas, outras mais lentas, então cada pai ou mãe deve avaliar o melhor momento. O principal é que a criança entenda para que serve o dinheiro.

A periodicidade será função da maturidade da criança. Crianças mais novas têm mais dificuldade em entender a passagem do tempo, então o ideal é uma periodicidade mais curta, semanal ou quinzenal. Para crianças mais velhas ou adolescentes, a periodicidade mensal é a ideal, pois faz parte do treino fazer o dinheiro chegar ao final do mês. E, por falar em treino, a próxima pergunta é... quanto dar?

Para chegar ao montante, é preciso decidir antes algo mais importante: o que é abrangido e o que não é abrangido pela mesada. Lanche da escola, passeios, gibis, créditos de celulares etc. Deve haver um "contrato" entre pais e filhos determinando o que deve ser pago com a mesada e o que continua sendo pago pelos pais. Não há uma receita única, mas, quanto mais velho o filho, mais coisas e atividades deveriam ser abrangidas pela mesada. Claro, é sempre muito difícil determinar tudo *a priori*. Os casos não especificados devem ser decididos um a um, com cuidado, pois servirão de jurisprudência dali em diante. Uma vez decidido o que a mesada deve pagar, os pais fazem um cálculo por cima de quanto custaria aquele consumo por mês ou por semana, a depender da periodicidade adotada. Este é o tamanho da mesada. Não é necessário acertar exatamente. Se for para errar, opte por errar para menos. Lembre, a mesada serve para educar na escassez, não na abundância. É bom que os filhos sintam o que todo assalariado sente: que o mês termina depois do dinheiro do salário.

Neste capítulo da abrangência da mesada, pode haver gastos híbridos, ou seja, que serão divididos entre pais e filhos. Em casa, por exemplo, o orçamento familiar paga metade do valor de qualquer livro comprado pelos filhos. Se quero estimular o gosto pela leitura, nada mais natural e recomendável do que financiar a compra de livros. Alguém poderia perguntar se não seria o caso, então, de pagar 100% do valor dos livros, em vez de somente 50%, se o objetivo é fomentar a leitura. Pode ser, mas se perderia um pouco a função educativa financeira neste caso. Afinal, o filho também precisa sentir o peso financeiro da sua decisão de comprar um determinado livro. Se ele tomou essa decisão, é porque já se interessou pelo livro, então não é mais necessário o fomento neste caso. De qualquer forma, nada impede que os pais presenteiem os filhos com livros em qualquer época do ano. Aliás, trata-se de prática muito recomendável.

Outro item que pertence a essa zona cinzenta da mesada costuma ser os presentes de aniversário para os amigos. Quando as crianças são mais novas, os pais compram esses presentes, muitas vezes, inclusive, sem a ajuda dos filhos. Esses têm a única função de depositar o presente na caixa de entrada da festa e sair correndo para brincar. Quando vão ficando mais velhos e entrando na adolescência, no entanto, os filhos começam a querer escolher o presente. Faz parte dessa fase, digamos, mais social dos adolescentes. Neste ponto, adotamos aqui em casa o critério dos 50%: a mesada paga metade, e o orçamento familiar paga a outra. Assim, o adolescente começa a sentir no bolso quanto custa proporcionar alegria aos amigos e os presentes passam a ser mais razoáveis.

Outra questão comum é se a mesada deveria servir também como prêmio ou castigo para os filhos. Ou, de maneira mais genérica, se deveríamos usar o dinheiro para induzir certos comportamentos dos filhos. Há alguns anos, repercutiu nas redes sociais o método criado por um pai para a mesada de seus dois filhos, de 8 e 6 anos. Tratava-se de uma planilha, com todas as obrigações dos filhos listadas. Cada obrigação não cumprida significava um desconto na mesada de cada um. Abaixo, uma amostra de como seria uma planilha desse tipo. O que dizer sobre essa prática?

Regras da mesada			
Mês: Janeiro/2021		Valor da mesada: R$ 50,00	
Falta	Desconto	Filha	Filho
Reclamar de ir à escola	- R$ 1,00		3
Não escovar os dentes	- R$ 0,25	3	1
Brigar com o irmão	- R$ 3,00	1	1
Total de descontos		R$ 3,75	R$ 6,25
Valor da mesada do mês		R$ 46,25	R$ 43,75

Em primeiro lugar, gostaria de deixar claro que considero louvável a criação de regras de comportamento. Deixar que as crianças façam o que lhes der na telha, com receio de que se sintam "reprimidas" se lhes forem negadas as suas vontades, é o caminho mais curto para o inferno. Além disso, crianças educadas dessa maneira não entenderão que o mundo é muito mais um conjunto de "nãos" do que de "sins", de modo que é melhor começar a treinar em casa.

Tendo dito isso, vincular o bom comportamento ao dinheiro não parece adequado. Corre-se o risco de se estar criando pequenos mercenários, que se movem somente em vista do vil metal. Crianças deveriam obedecer a seus pais pela autoridade, liderança e exemplo que estes inspiram, e não somente pelos reais a mais ou a menos na mesada. Claro, isso não implica que não se possa dar um prêmio especial (uma ida à lanchonete de preferência, por exemplo) por um bom comportamento ou uma boa nota na escola. Mas tornar isso um *modus vivendi* parece-me perigoso. Substituir a autoridade paterna pela autoridade do dinheiro não parece ser um bom caminho.

Alguém dirá que esta é a vida, que nos movemos pelo prêmio financeiro o tempo inteiro. Afinal, vamos trabalhar por causa do salário e empreendemos para ganhar dinheiro. Não deixa de ser verdade. O problema é que não é *toda* a verdade. Movemo-nos por dinheiro, mas também por outros fatores: paixão, ideal, regras sociais. O dinheiro, de fato, serve como reconhecimento por um bom trabalho, mas não só, como sabe bem qualquer gestor de recursos humanos. Além do mais, e isso é o mais importante, a relação dos pais com os filhos não é (ou pelo menos não deveria ser) a relação de um patrão com o seu empregado. Vincular bom comportamento ao dinheiro significa reduzir a relação pais-filhos a uma mera relação comercial. Não funciona em uma empresa, quanto mais em um lar.

Por fim, para que a experiência da mesada funcione, o ideal é evitar fazer adiantamento de mesada, para não os acostumar a viver de crédito desde cedo, pelo menos enquanto forem pequenos. Quando forem maiores, o "painanciamento" pode até ser didático, pois o filho ficará sem receber mesada até que pague toda a dívida contraída. A festa da compra do objeto desejado será substituída pela frustração de não receber a mesada durante alguns meses. Mas, de qualquer forma, o ideal é que o filho seja orientado a fazer a sua própria poupança para comprar objetos mais caros. Às vezes, no entanto, o ideal não é factível. Faz parte da administração de um lar, que envolve a relação pais-filhos, decidir como e quando adiantar a mesada.

Truques para educar os filhos na escassez

A mesada é um excelente instrumento de educação financeira. Mas não é o único. A vida nos coloca várias oportunidades de educar financeiramente os nossos filhos. Vejamos algumas.

O refrigerante que nunca acaba

Em casa, temos como costume tomar refrigerantes somente nos finais de semana. Trata-se de uma forma de marcar as refeições dos finais de semana como algo especial. Afinal, são as únicas em que podemos ter toda a família junta em torno da mesa. Além disso, trata-se de prática muito saudável.

A regra sempre foi ter um refrigerante de 2 litros por refeição. Alguém poderia perguntar: mas como fazer com que um refrigerante de dois litros seja suficiente para uma família tão grande? Não se trata do milagre da multiplicação dos pães e dos peixes (no caso, do refrigerante), mas não só era o suficiente como, por incrível que pareça, sempre sobrava um pouquinho no final.

Aquilo era, inconscientemente, um exercício de orçamento. Estava ali uma garrafa de dois litros que deveria servir nove pessoas (eu, minha esposa e sete filhos). São, em média, 222 mL por pessoa. Convenhamos que é o suficiente para matar a sede, mas um pouco puxado para acompanhar uma refeição. Mas aqueles que sentem mais sede sempre podem complementar com água. Dizem que água mata a sede também...

O fato é que, por algum milagre, quase sempre sobrava um pouco de refrigerante no final. Era raro alguém terminar a garrafa. E, quando fazia isso, perguntava antes se mais alguém queria. Esse é um exercício de orçamento por excelência: há uma quantidade limitada de refrigerante, todos sabem que só há aquilo disponível e "administram" a sua sede até o fim.

Nesse sentido, ajuda usar copos pequenos. Já reparou como, nas lanchonetes, os copos usados para tomar refrigerantes são cada vez maiores? Quanto maior for o copo, mais dinheiro o usuário vai gastar com refrigerante. Ao usar copos pequenos, fica bem mais fácil fazer o controle da quantidade de refrigerante ingerida. O copo faz o papel do envelope em um orçamento: é um sinal de quanto temos disponível para "gastar" com aquela determinada despesa. No caso, o refrigerante. Se temos um copo muito grande, tendemos a colocar mais refrigerante no copo, e fica mais difícil controlar o consumo.

Depois que os filhos começaram a sair de casa, os que ficaram começaram a ter mais refrigerante disponível. Em determinado momento, comecei a levar para casa refrigerantes de 1,5 litro em vez dos de 2 litros. No início, obviamente, houve muitas reclamações. O pessoal estava acostumado com uma quantidade maior. O seu padrão de vida havia subido com a saída dos irmãos mais velhos de casa, e como sabemos, é sempre muito difícil diminuir o padrão de vida.

Mas, depois de algum tempo (não muito), o refrigerante começou a sobrar novamente. As pessoas se adaptaram ao novo padrão, e o seu comportamento se repetiu: a administração do orçamento de refrigerante fez com que, mesmo com uma quantidade menor, todos tomassem refrigerante e ainda sobrasse no final. O "milagre da multiplicação" aconteceu novamente.

A lição aqui é clara: os filhos vão consumir aquilo que dermos para eles consumirem. Estabelecer padrões de consumo está nas mãos dos pais e, ao fazermos isso, estamos educando financeiramente os filhos. Pois a vida, como sabemos, é feita de escassez, não de abundância.

Festas juninas

Quem já não teve a alegre experiência de participar de festas juninas na escola dos filhos? São raras as escolas que não promovem esses eventos tradicionais, e certamente grande parte de nós tem lembranças de infância, boas e não tão boas. Eu, por exemplo, até gostava das comidinhas, mas dançar quadrilha era um martírio...

As escolas promovem essas festas com vários objetivos: resgatar e manter tradições, fomentar o convívio social de alunos e pais e, por que não dizer, arrecadar fundos. A venda de alimentos e as barracas de jogos são uma importante fonte de receitas para as escolas. E é aí que mora o pesadelo dos pais e mães de família: como não quebrar as finanças familiares entre pescarias, quentões e quadrilhas? Se você não toma cuidado, pode até parar na cadeia... Por que isso acontece? A dinâmica natural é conhecida: as crianças vêm até você e pedem dinheiro. Você dá. E assim durante a festa toda. De vez em quando, você sente que está gastando um pouco demais. Mas quem consegue resistir aos insistentes pedidos dos pequerruchos?

Pois bem, existe uma receita simples para que as festas juninas sirvam como uma excelente ocasião para educar financeiramente os seus filhos e, de quebra, conseguir manter-se longe da bancarrota. A receita é simples: estabeleça um orçamento inicial, que você acha razoável gastar em um evento desse tipo. Imagine, por exemplo, o que você gastaria em uma refeição fora de casa com a família. Digamos que sejam R$ 100.

Normalmente, nessas festas, você compra as fichas com antecedência em uma espécie de caixa central. Pois bem, você vai lá e compra os R$ 100 em fichas. Este será o seu gasto máximo. Se fizer isso, já conseguiu fugir do primeiro erro básico nessas festas: ir comprando aos poucos, e aos poucos ir perdendo o controle daquilo que gastou. Muitas pessoas chegam ao final dessas festas sem nem saber quanto dinheiro deixaram lá!

Com os R$ 100 em fichas em mãos, você está preparado para o segundo passo: distribuir as fichas entre os seus filhos, não esquecendo que devem sobrar fichas para você também. O importante nessa distribuição é deixar claro para os filhos que aquele montante é o *total* disponível para gastar naquele dia. Dependendo da idade das crianças, os pais podem antes comprar comida e só depois distribuir as fichas, pois pode acontecer de os pequenos gastarem todas as fichas em jogos e brincadeiras, "esquecendo-se" de se alimentar.

O mais importante desse sistema é realmente *limitar* o total de fichas. É líquido e certo que as fichas terminarão *antes* que as crianças estejam saciadas. Isso acontece conosco também, não é mesmo? O salário termina antes do mês, e precisamos de mais fichas para fechar o orçamento. Para que a experiência realmente funcione, é preciso que os pais resistam bravamente ao choro e às súplicas dos pimpolhos por mais fichas. O máximo que se pode conceder é o gasto por conta da mesada que está guardada em casa.

Assim, as festas juninas servirão também como uma oportunidade de educar financeiramente os filhos. Claro que essa experiência só faz sentido para as crianças que já recebem mesada e, portanto, já têm alguma noção de dinheiro.

A aventura do supermercado

Quem já não presenciou cenas lamentáveis de crianças chorando e esperneando por não verem suas vontades atendidas em um supermercado? Além da cena em si, o pobre pai ou a pobre mãe são obrigados a suportar olhares de reprovação vindos de todos os lados. Se deixam a cena correr, a reprovação é por não colocar um limite à malcriação do filho. Se dão bronca no filho ou até um ou dois safanões, a reprovação é por maltratar a criança. Mas quem já viveu essa situação sabe que é mais fácil julgar do que lidar com ela.

No entanto, a ida ao supermercado com crianças pode se tornar uma ocasião de aprendizado financeiro para os filhos, em vez de tortura para os pais. Basta que ocorra uma negociação prévia.

Antes de se dirigir ao supermercado, o pai ou a mãe entrega para o filho certa quantia em dinheiro. Por exemplo, R$ 5 ou R$ 10. Esse será o limite para os gastos do filho no supermercado. Quando o filho pegar alguma coisa na prateleira, terá que verificar se cabe no seu orçamento.

É comum a criança pegar várias coisas para depois perceber que não vai dar para pagar com os R$ 5 ou R$ 10 que tem disponíveis. Terá, então, que fazer escolhas, o que é o cerne do exercício do orçamento.

Temos, então, um experimento ganha-ganha: a criança ganha uma lição de educação financeira, enquanto os pais ganham paz para fazer suas compras tranquilamente no supermercado.

Claro que, para funcionar, é preciso que a criança tenha noção de dinheiro. Por isso, só vale para crianças que já recebam mesada, por exemplo, ou que, pelo menos, já consigam fazer operações matemáticas simples. E para as mais novas? Melhor simplesmente não as levar ao supermercado. Encontre alguém com quem deixá-las e garanta um pouco de tranquilidade no momento de suas compras.

Quanto custa um filho?

Termino este livro com uma pergunta que muitos casais se fazem antes de se aventurar a ter um filho. De vez em quando, revistas publicam reportagens sobre o assunto, pedindo a especialistas que façam um cálculo aproximado das despesas que um filho dá. Não é incomum que cheguem à casa do milhão de reais. Esse tipo de cálculo é falacioso por dois motivos.

O primeiro é que, implicitamente, se compara um valor (R$ 1.000.000, por exemplo) que será gasto em mais de 20 anos, com o salário que recebemos hoje. É claro que ninguém tem R$ 1.000.000 para gastar hoje. Mas, em 20 anos, isso significa cerca de R$ 4.000 por mês. Apesar de ser um valor alto, é mais pé no chão do que R$ 1.000.000. Além disso, normalmente são os jovens em início de carreira que pensam em ter filhos. No futuro, quando forem mais experientes, ganharão mais pelo seu trabalho, e aquele valor que parecia inatingível passa a ser algo mais realista. Os filhos dão pouca despesa no início. As despesas vão ficando mais pesadas à medida que eles vão ficando mais velhos, principalmente se queremos investir em educação. Por isso, não é razoável comparar o que gastaremos daqui a 10 ou 15 anos com o salário que ganhamos hoje.

Isso nos leva a outra conclusão: o projeto de paternidade/maternidade é de longuíssimo prazo, envolve a vida inteira. No que se refere a sustentar os filhos, pelo menos 25 anos. É no mínimo pretensioso achar que conseguimos fazer um planejamento financeiro de 25 anos. Não conseguimos sequer saber se estaremos empregados daqui a um ano! Quando eu e minha esposa ficamos sabendo que ela estava grávida de nossa primeira filha, eu estava desempregado, só ela estava trabalhando. Era o ano do Plano Collor I, a recessão era profunda no país. Só consegui me reempregar um mês depois do seu nascimento. Tantas coisas aconteceram depois em nossa vida financeira que acho graça das preocupações que tínhamos na época. Não, definitivamente, a decisão de ter um filho não deveria se dar com base exclusivamente nas condições financeiras da família naquele momento. Isso nos leva ao segundo motivo pelo qual é falacioso esse tipo de cálculo.

O segundo (e principal) motivo está na própria essência do que é ter um filho. Apesar de, efetivamente, os filhos gerarem gastos, trata-se de vidas humanas, como o são as vidas do pai e da mãe. Pai e mãe geram gastos igualmente (na verdade, até mais!) e nem por isso pensamos que não deveriam existir porque "falta dinheiro". Filhos não são um "objeto de consumo" que custa X. Filhos são parte da nossa própria essência.

E isso nos leva ao único motivo relevante para a decisão de ter ou não filhos e quantos: o projeto de vida de cada casal. Cada casal deve avaliar as suas condições em várias dimensões: psicológica, estrutura familiar, ambições profissionais e, também, condições financeiras. Sim, as condições financeiras também podem entrar na balança, mas nunca como o único ou o principal fator, por tudo o que falamos até aqui.

Filhos custam tudo o que você pode pagar, mas não mais do que isso.

Esta obra foi composta em Minion Pro 11,5 pt e impressa em
papel Pólen soft 80 g/m² pela gráfica Paym.